B. Walpole

EXPÉRIENCES AMUSAN

LA LUMIÈRE

Adaptation de Patricia Kerserho

SOMMAIRE

Trois sortes d'activités pratiques vous
sont proposées dans ce livre. Voici
comment les reconnaître :

Expériences

Astuces

Réalisations

NATHAN

INTRODUCTION

Sans la lumière du Soleil, aucune vie ne serait possible sur la Terre. Cette lumière, indispensable au monde vivant, est la source d'énergie des plantes et celles-ci représentent le repas de bien des animaux.

Ce livre vous fera découvrir les secrets de la lumière solaire et de la lumière artificielle — celle produite par l'homme. Pourquoi les ombres se forment-elles ? Comment les arcs-en-ciel apparaissent-ils ? De quelle façon les miroirs réfléchissent-ils la lumière ? Pourquoi les lentilles déforment les objets ?...

Vous découvrirez aussi les relations entre lumière et couleur. Ainsi, la lumière solaire est composée de plusieurs couleurs différentes — les couleurs que vous voyez dans l'arc-en-ciel. Mais ce sont des cellules spéciales à l'arrière de vos yeux qui vous permettent de voir le monde en couleurs. Comprendre comment l'œil travaille a aidé les scientifiques à développer des instruments tels que les microscopes, les télescopes, les caméras et les lasers.

Les expériences proposées dans ce livre vous permettront de répondre aux questions posées. Vous comprendrez ainsi comment la lumière et les couleurs influencent le monde autour de vous.

Ce livre comprend six grands thèmes :
- la lumière et les ombres ;
- réflexions et reflets ;
- réfraction ;
- la lumière et la vision ;
- la lumière et la couleur ;
- la lumière de la vie et des lasers.

Un cadre bleu (comme celui entourant ces deux pages) indiquera le début d'un nouveau thème.

▲ Comment faire ces dessins sur un morceau de tissu ? (page 33)

▼ Si ces disques tournent, quelles couleurs verrez-vous ? (page 27)

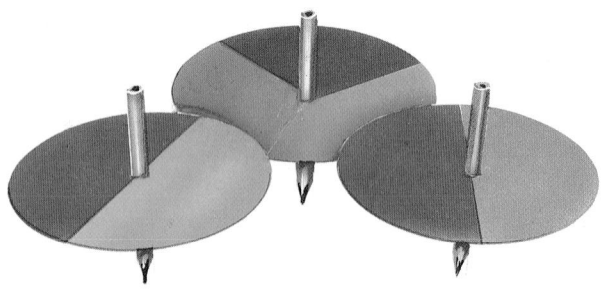

▼ Pourquoi les objets ont-ils des ombres lorsque la lumière les éclaire ? (pages 4 et 5)

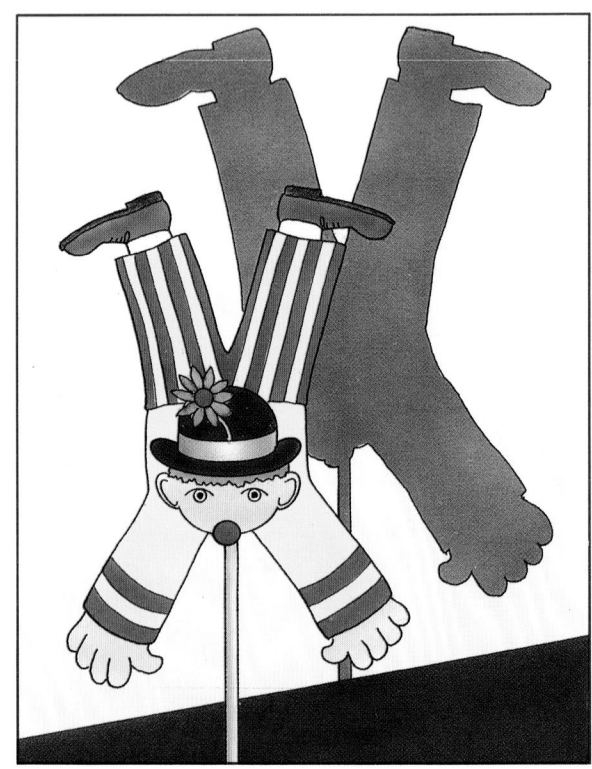

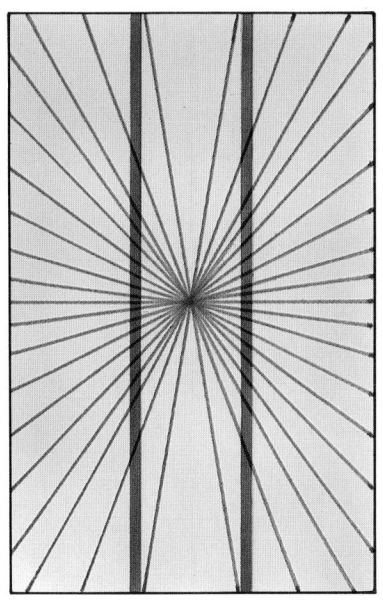

▲ Pourquoi ces lignes droites, en rouge, nous apparaissent-elles courbes ? (page 23)

▶ D'où viennent les couleurs de l'arc-en-ciel ? (pages 26 et 27)

▼ Comment un morceau de verre bombé rapproche des rayons lumineux ? (page 16)

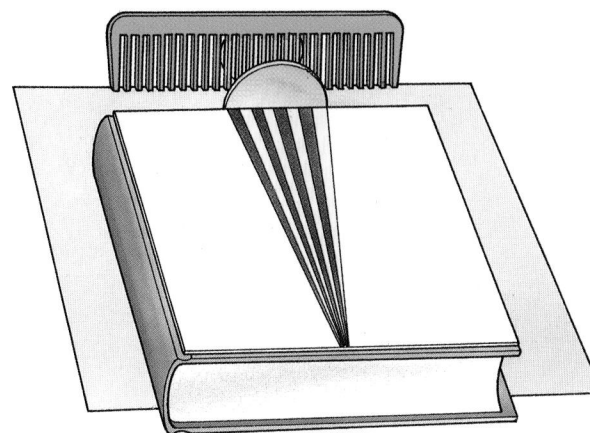

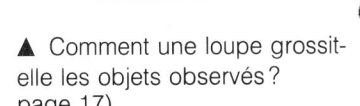

▲ Comment une loupe grossit-elle les objets observés ? page 17)

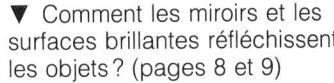

▼ Comment les miroirs et les surfaces brillantes réfléchissent les objets ? (pages 8 et 9)

▼ Pourquoi l'herbe devient jaune si le soleil ne l'éclaire pas ? (page 34)

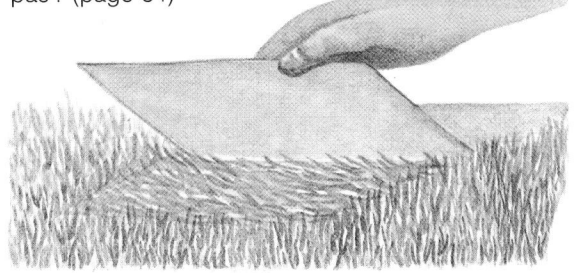

LA LUMIÈRE ET LES OMBRES

La lumière peut traverser le verre ou l'eau. Ces matières sont *transparentes* et nous pouvons voir à travers. D'autres matières telles que le papier ou le métal ne laissent pas passer la lumière : elles sont *opaques*. Des ombres apparaissent derrière les matières opaques que l'on éclaire. Ces ombres se forment car la lumière se propage en ligne droite et ne peut contourner les obstacles. Vous pouvez voir ces raies droites en regardant les rayons lumineux provenant du Soleil (à droite).

OMBRES MAGIQUES

Éclairez le mur d'une pièce sombre par une lampe. Étudiez les ombres de différents objets que vous placez devant la lampe. Utilisez vos mains pour faire différentes formes d'animaux ou faites le portrait de vos amis. Découpez une forme intéressante (un bateau, un avion ou un nuage), collez-la sur un morceau de carton et fixez celui-ci au bout d'un bâton. Rapprochez puis éloignez cette forme de la lampe. Quels changements cela produit-il sur l'ombre obtenue sur le mur ?

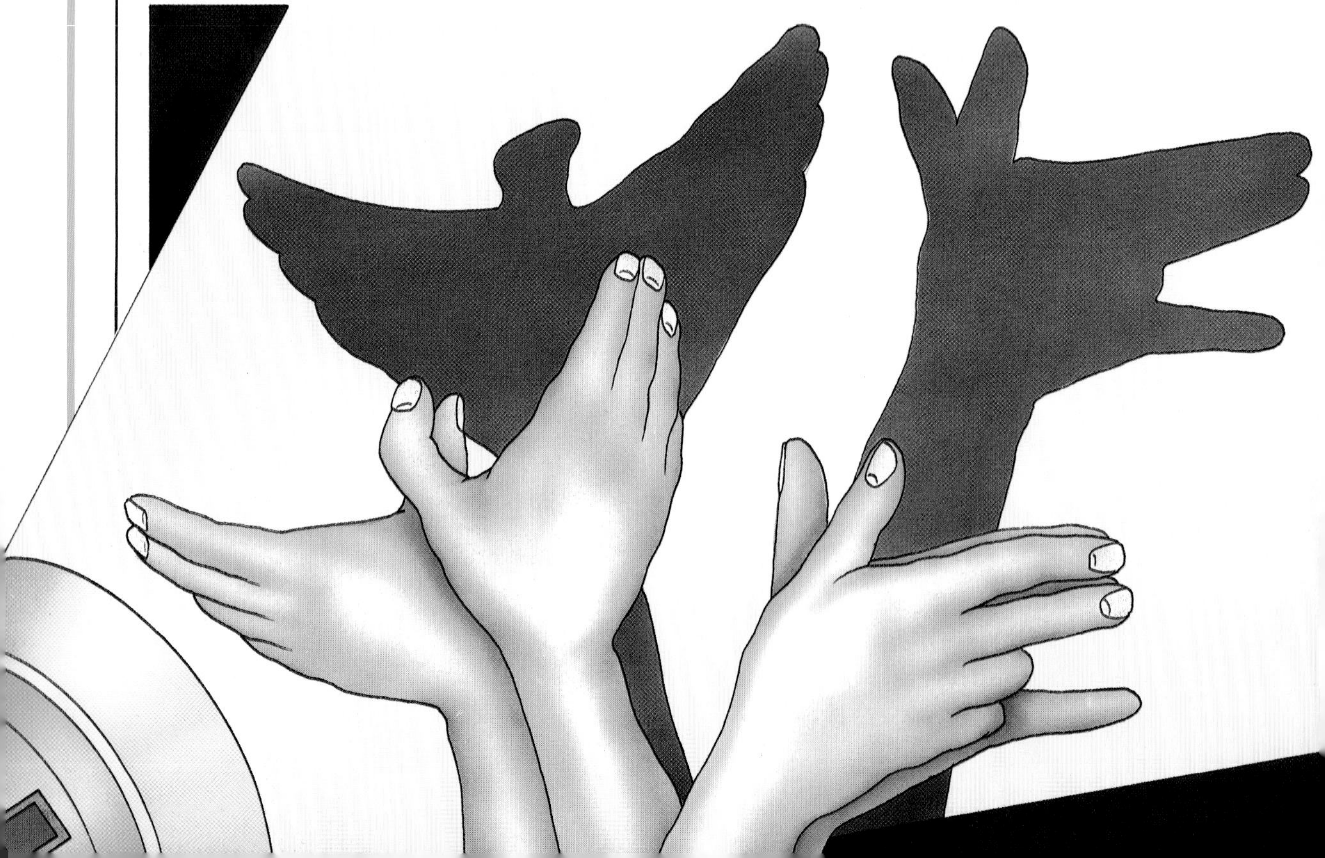

JOUER
AVEC SON OMBRE

Avec vos amis, examinez vos ombres dessinées par le Soleil. Essayez de les dessiner sur un morceau de papier et de les découper. L'ombre bouge-t-elle lorsque vous bougez? Pouvez-vous sauter sur votre ombre? Pouvez-vous serrer la main d'un ami sans que vos ombres ne se touchent? Quelles ombres pouvez-vous faire avec votre corps?

Replacez-vous exactement au même endroit à différents moments de la journée et demandez à un ami de dessiner votre ombre avec une craie. Remarquez que sa position et sa forme changent quand le soleil se déplace. On peut donc connaître l'heure en utilisant les ombres créées par le Soleil (voir pages 6 et 7).

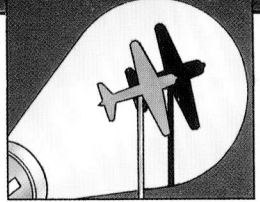

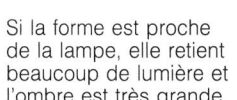

Si la forme est proche de la lampe, elle retient beaucoup de lumière et l'ombre est très grande.

Si la forme est éloignée de la lampe, elle retient moins de lumière et son ombre est plus petite.

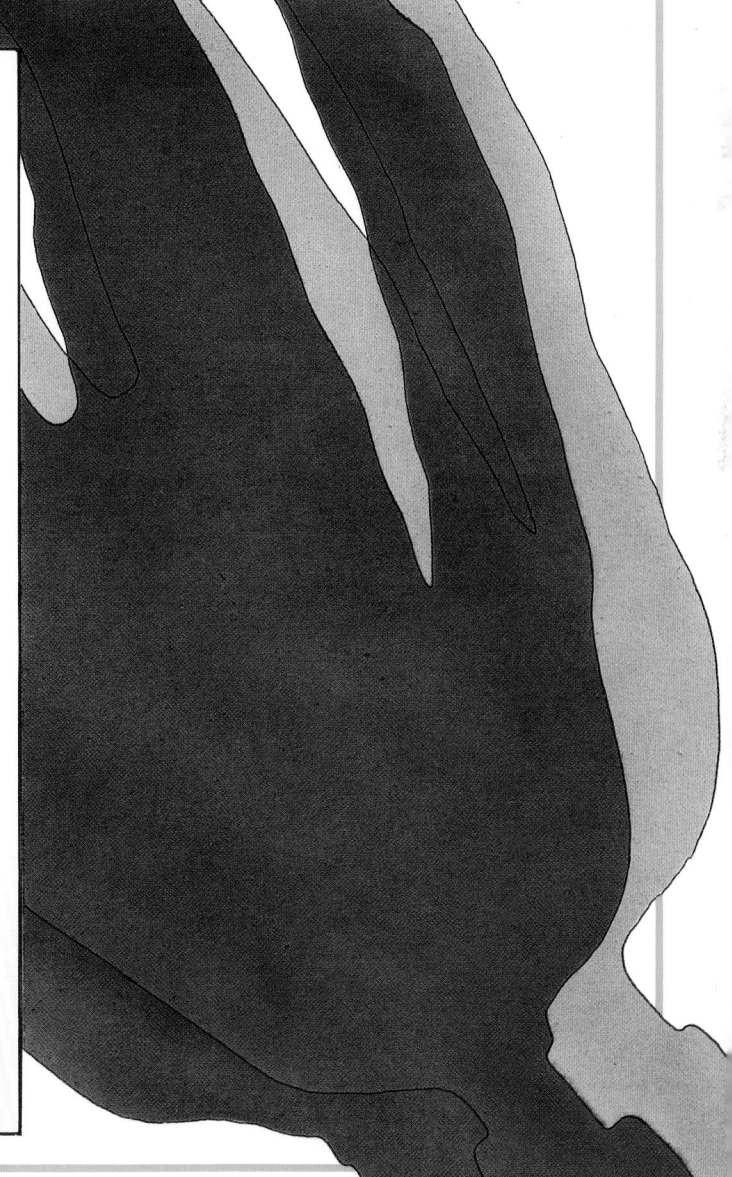

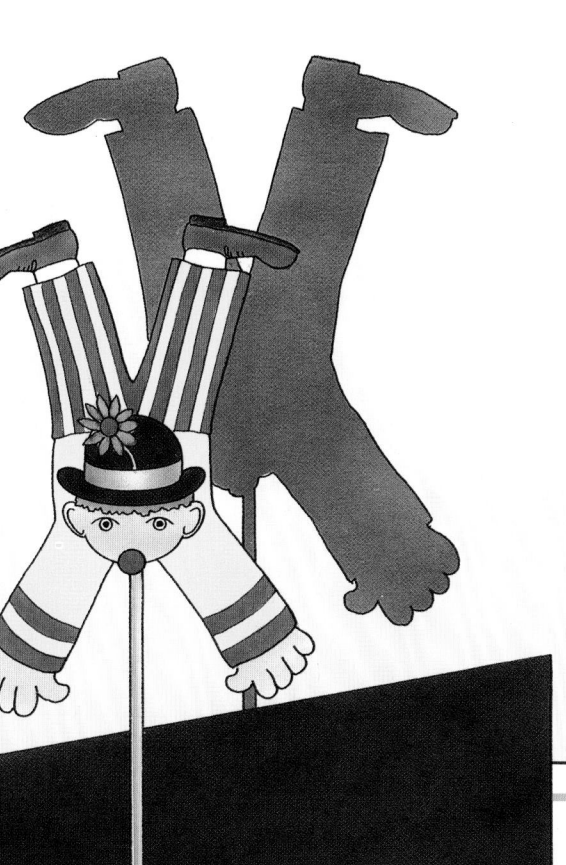

L'HORLOGE À OMBRES

Matériel : une boîte longue et étroite, des crayons, du ruban adhésif, du papier blanc.

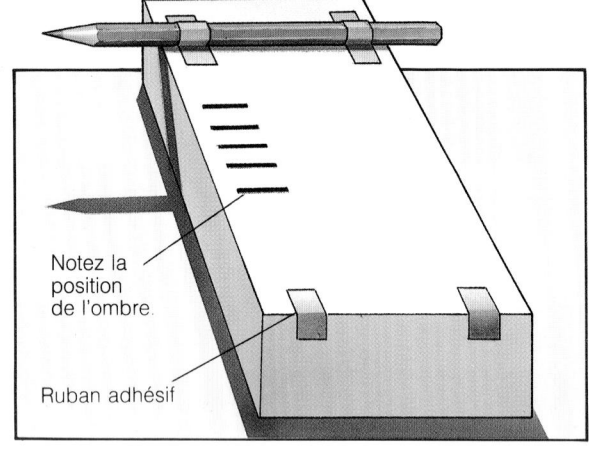

Notez la position de l'ombre.

Ruban adhésif

Couvrez une face de la boîte avec du papier blanc, maintenu par du ruban adhésif. Placez un crayon à l'extrémité de la boîte. Un matin ensoleillé, disposez votre horloge sur une surface peu colorée et bien plane (feuille de papier). Remarquez la position de l'ombre du crayon et tirez un trait à l'endroit correspondant sur le dessus de la boîte. Écrivez l'heure à côté de ce trait. Faites cela à différentes heures de la journée. À quelle heure l'extrémité de l'ombre est-elle la plus proche du crayon ?

FAIRE UN CADRAN SOLAIRE

Matériel : une carte mince, un rapporteur, un compas, un morceau de bois ou de carton mince.

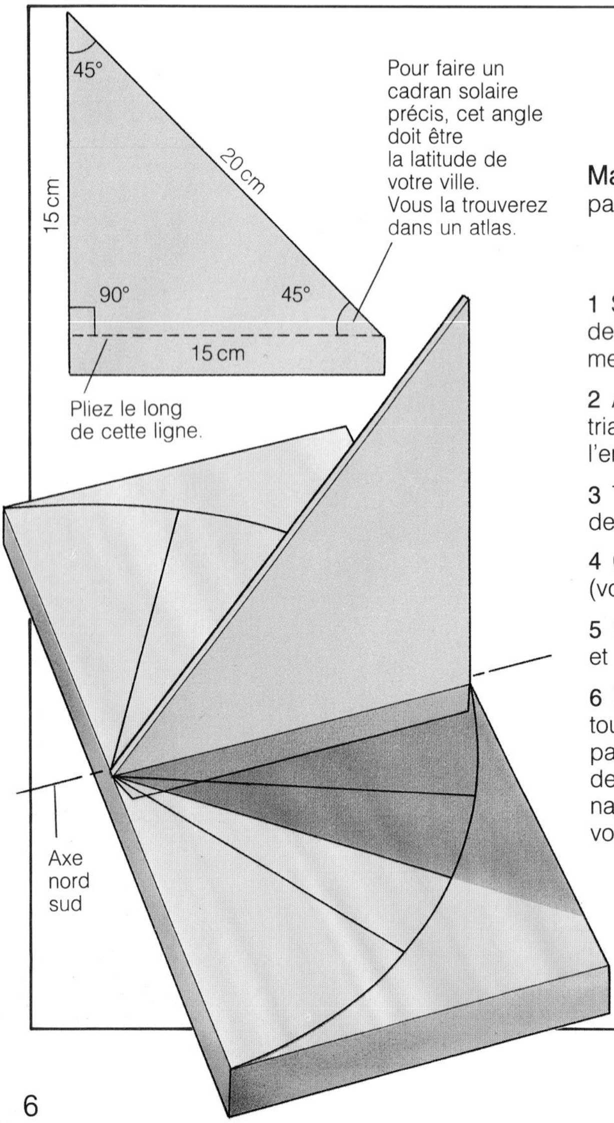

45°

20 cm

15 cm

90°   45°

15 cm

Pliez le long de cette ligne.

Pour faire un cadran solaire précis, cet angle doit être la latitude de votre ville. Vous la trouverez dans un atlas.

1 Sur la carte mince, dessinez un triangle rectangle : deux angles seront de 45°, les deux côtés courts mesurant environ 15 cm et le grand côté, 20 cm.

2 Ajoutez un rectangle sur l'un des petits côtés du triangle (côté en pointillés sur la figure). Découpez l'ensemble et pliez fermement suivant les pointillés.

3 Tracez un demi-cercle sur le morceau de bois ou de carton.

4 Collez le petit rectangle sur le bois ou le carton (voir la figure).

5 Disposez votre cadran solaire dans un endroit plat et ensoleillé, selon un axe nord-sud.

6 Notez enfin la position de l'ombre du triangle toutes les heures. Vous remarquerez que l'ombre parcourt chaque fois la même distance le long du demi-cercle. Les jours de soleil, vous pourrez connaître l'heure en regardant la position de l'ombre sur votre cadran solaire.

Axe nord sud

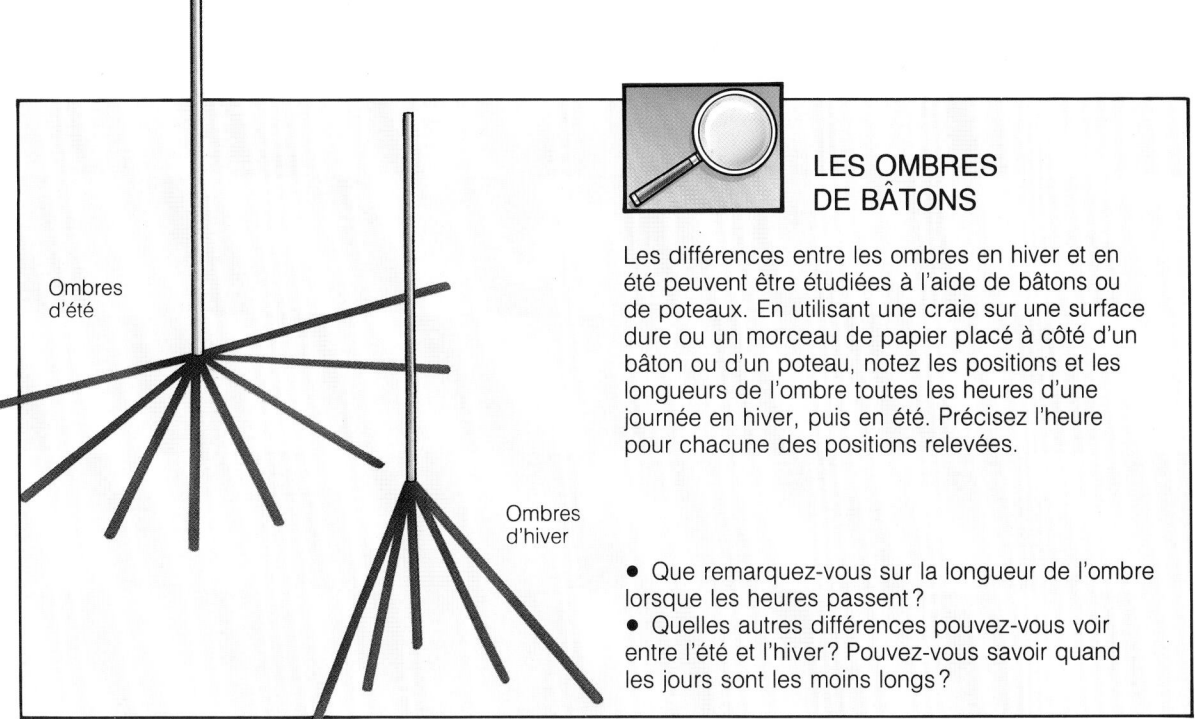

Ombres d'été

Ombres d'hiver

LES OMBRES DE BÂTONS

Les différences entre les ombres en hiver et en été peuvent être étudiées à l'aide de bâtons ou de poteaux. En utilisant une craie sur une surface dure ou un morceau de papier placé à côté d'un bâton ou d'un poteau, notez les positions et les longueurs de l'ombre toutes les heures d'une journée en hiver, puis en été. Précisez l'heure pour chacune des positions relevées.

● Que remarquez-vous sur la longueur de l'ombre lorsque les heures passent ?
● Quelles autres différences pouvez-vous voir entre l'été et l'hiver ? Pouvez-vous savoir quand les jours sont les moins longs ?

LES OMBRES DANS L'ESPACE

La Lune et la Terre peuvent projeter leurs ombres énormes l'une sur l'autre. Quand la Lune passe entre le Soleil et la Terre, son ombre obscurcit des régions entières de la Terre pendant une partie de la journée. Ce phénomène est une *éclipse* de Soleil. Mais quand la Terre se place entre le Soleil et la Lune, elle empêche la lumière du Soleil d'atteindre la Lune. La Lune devient sombre : c'est une éclipse de Lune.

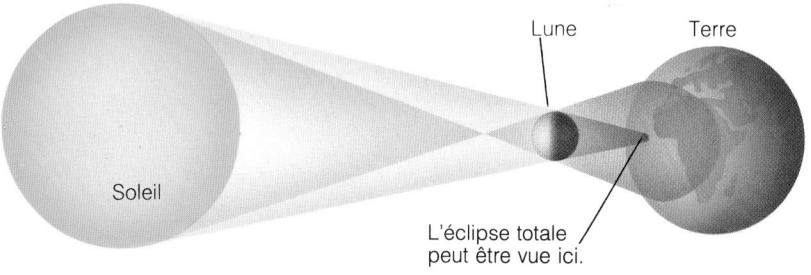

Soleil

Lune

Terre

L'éclipse totale peut être vue ici.

▶ Éclipse totale de soleil. Vous pouvez voir autour de la forme noire de la Lune l'atmosphère très peu colorée du Soleil.

RÉFLEXIONS, REFLETS

Les rayons lumineux peuvent être renvoyés par une surface ou un objet : c'est la *réflexion* de la lumière.

Observez-là avec du papier d'étain, des boîtes, des bouteilles, des cuillères.

Mais ce sont les surfaces plates et brillantes qui donnent les meilleurs reflets. Les miroirs sont donc faits d'une couche de verre poli au dos de laquelle on dépose une couche argentée brillante. Explorez la réflexion de la lumière en faisant ces expériences.

Agitez votre main gauche devant un miroir. Voyez-vous votre main gauche ou droite ? Les miroirs retournent les images : le côté gauche paraît être le droit. Demandez à un ami de faire semblant d'être votre reflet et comparez vos mouvements.

ENQUÊTE SUR LES RÉFLEXIONS

1 Découpez un trou de 2,5 cm de diamètre dans une carte et fixez un peigne par du ruban adhésif de l'autre côté de ce trou.
2 Dans une pièce sombre, tenez la carte en face d'une lampe : la lumière traverse les dents du peigne.
3 Placez un miroir dans le faisceau lumineux de telle sorte qu'il réfléchisse la lumière.
4 Déplacez légèrement le miroir. Que deviennent les rayons lumineux ?

LE CODE SECRET

Vous pouvez écrire un message secret à un ami en utilisant un miroir pour le coder. Devant un miroir, écrivez le message sans regarder le papier mais en suivant vos gestes dans le miroir. Quand vous regarderez le papier, vous verrez votre message inversé, en code miroir. Votre ami pourra décoder le message en le regardant dans un miroir.

Vous verrez mieux les rayons sur une surface sombre.

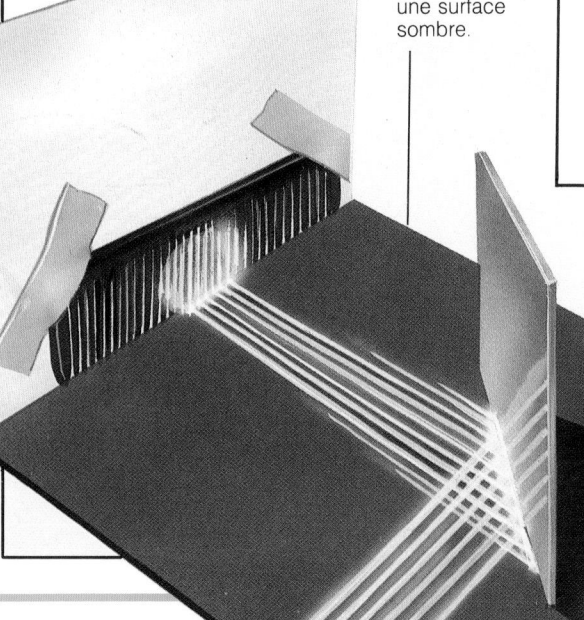

Que se passe-t-il ?
La lumière est renvoyée par miroir avec le même angle que celui qu'elle avait en l'atteignant.
Si vous modifiez la position du miroir, l'angle fait par la lumière réfléchie change de même.

MULTIPLIER
LES RÉFLEXIONS

Il est possible de voir tout autour d'un objet en utilisant plusieurs miroirs. Cela parce que les rayons lumineux sont renvoyés d'un miroir à l'autre. Placez deux miroirs côte à côte et disposez un petit objet entre eux. Combien de réflexions de cet objet voyez-vous ?

Jusqu'à l'infini

● Rapprochez les deux miroirs en les laissant en contact par l'un de leurs côtés, puis éloignez-les. Que devient le nombre de réflexions ?
● Placez maintenant les deux miroirs l'un en face de l'autre et l'objet au centre. Vous pourrez alors voir un nombre infini de réflexions puisque la lumière sera renvoyée sans cesse d'un miroir à l'autre.

FABRIQUER
UN KALÉIDOSCOPE

Les dessins du kaléidoscope sont dus au rebondissement de la lumière entre les miroirs.

Matériel : trois petits miroirs (de même taille), ruban adhésif, carte ou papier, morceaux ou pastilles rondes de papier coloré.

1 Assemblez les miroirs pour former un triangle.
2 Posez-les sur la carte ou le papier et dessinez leur base (triangulaire).

3 Découpez ce triangle et fixez-le à l'une des extrémités des miroirs.
4 Introduisez les morceaux ou pastilles de papier coloré au centre du kaléidoscope.
5 Regardez dans votre kaléidoscope. Combien de dessins voyez-vous ? Secouez le kaléidoscope pour modifier le dessin.

Carte ou papier

Miroir

Ruban adhésif

Dessins dans le kaléidoscope

FAIRE UN PÉRISCOPE

Matériel : deux petits miroirs carrés, un morceau de carton de 30 cm × 30 cm, ruban adhésif, règle, rapporteur, ciseaux.

Le commandant d'un sous-marin en plongée peut découvrir ce qui se passe en surface en soulevant hors de l'eau un tube spécial appelé un *périscope.* Un périscope utilise deux miroirs qui réfléchissent et dévient les rayons lumineux, ce qui permet de voir derrière un coin ou d'observer par-dessus des obstacles très hauts et gênant la vue. Vous pouvez facilement fabriquer vous-même un périscope.

1 Tracez trois lignes sur le carton pour le diviser en quatre bandes égales.
2 Découpez deux carrés sur deux des bandes, comme indiqué sur la figure.
3 Découpez deux fentes formant un angle de 45° avec le côté de chacune des autres bandes.
4 Pliez la carte en forme de tube et fixez-la par l'adhésif.
5 Glissez les miroirs dans les fentes et fixez-les. Un miroir devra être face vers le haut et l'autre face vers le bas.
6 Si vous tenez le périscope de côté, vous pourrez voir dans les coins. Si vous le tenez droit, vous pourrez voir par-dessus la tête des gens, ainsi que des choses plus grandes que vous.

Que se passe-t-il ?

La lumière provenant des objets qui sont hors de vue est réfléchie par le miroir du haut jusqu'au miroir du bas. Vous pouvez donc voir les objets en regardant dans le miroir du bas.

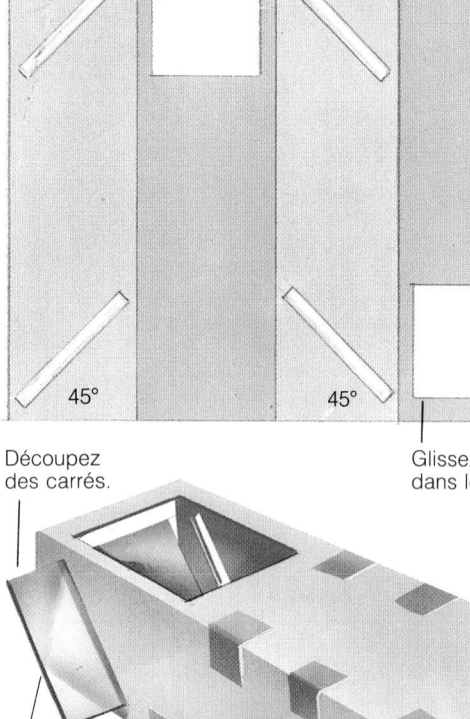

Découpez des carrés.

Glissez les miroirs dans les fentes.

Face du miroir

Dos du miroir

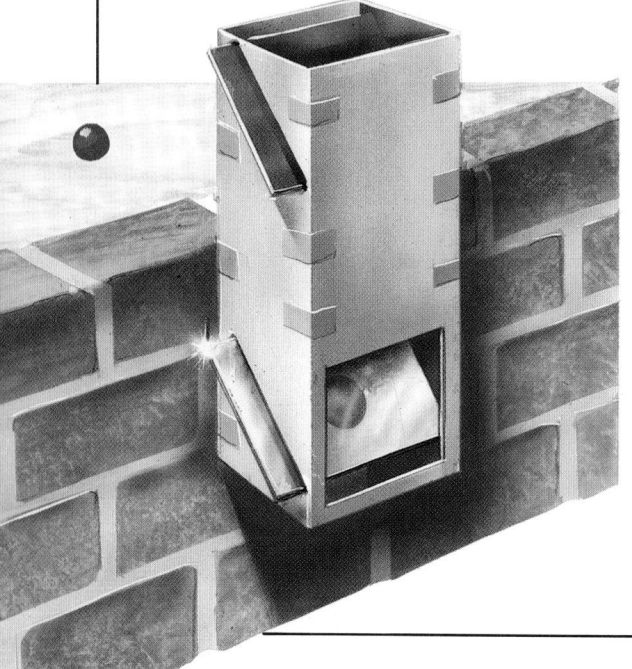

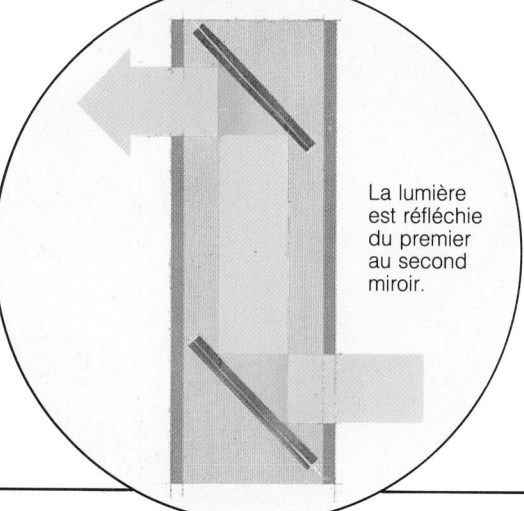

La lumière est réfléchie du premier au second miroir.

ÉTUDIER DES MIROIRS INCURVÉS

Les miroirs incurvés produisent des images différentes de celles des miroirs plats. Regardez votre visage dans le creux, puis au dos d'une cuillère bien polie. Que remarquez-vous ?

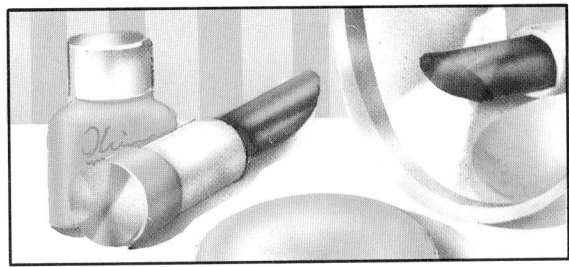

Les miroirs courbés vers l'extérieur (comme le dos d'une cuillère) sont des miroirs *convexes*. Ils produisent une image *plus petite* que celle d'un miroir plat. Mais ils reflètent une plus grande surface. Le rétroviseur des automobiles est un miroir convexe, ce qui donne aux conducteurs une bonne vue de ce qui se passe derrière eux.

Les miroirs courbés vers l'intérieur (comme le creux d'une cuillère) sont des miroirs *concaves*. Ils donnent une image *plus grande* que celle d'un miroir plat. Les miroirs concaves sont utilisés comme miroirs de maquillage et de rasage ou encore pour fabriquer de puissants télescopes (voir pages 16 et 17).

► Les étranges miroirs que vous voyez dans les foires sont à la fois concaves et convexes. Une partie des images réfléchies est donc étirée, tandis que d'autres parties sont rapetissées. Le public s'amuse beaucoup de son image déformée dans ces miroirs.

LA LUMIÈRE COURBÉE

La lumière ne traverse pas toutes les substances à la même vitesse. Elle voyage plus lentement dans l'eau ou le verre que dans l'air. D'une substance à l'autre, la lumière ralentit et change également un peu de direction : la lumière paraît courbée au point de rencontre des deux substances. C'est la réfraction.

L'EAU COURBE LA LUMIÈRE

Remplissez un verre d'eau et placez-y une paille. Examinez la paille sur toute sa longueur : elle paraît courbée. Mais si vous soulevez la paille hors de l'eau, vous la verrez droite. Les rayons lumineux changent donc de direction quand ils entrent dans l'eau et font paraître la paille courbée. Regardez vos jambes lorsque l'eau du bain arrive à vos genoux et vous observerez le même effet !

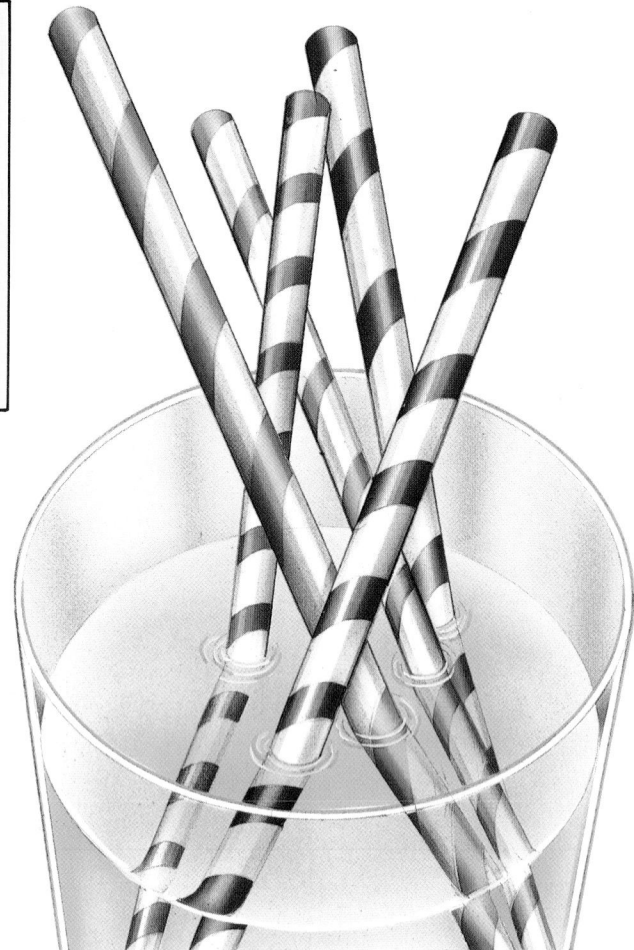

L'ARGENT MAGIQUE

Matériel : une pièce, un bol ou une tasse, de l'eau.

1 Mettez le bol ou la tasse sur une table et placez la pièce dans le fond.

2 Reculez lentement le bol ou la tasse jusqu'à ce que vous ne voyez plus la pièce.

3 Ne bougez pas et demandez à un ami de mettre de l'eau dans le bol ou la tasse. Vous vous apercevrez que vous voyez à nouveau la pièce.

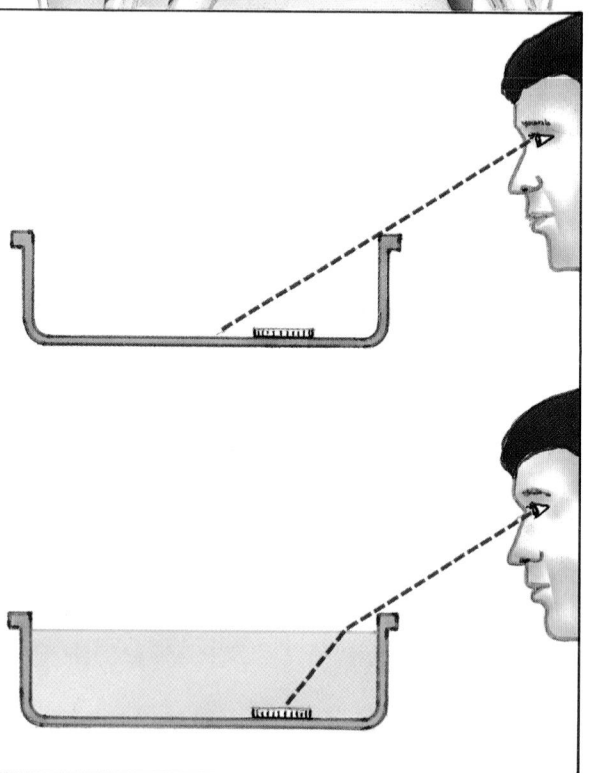

Que se passe-t-il ?
L'eau « courbe » (réfracte) la lumière provenant de la pièce ; vous pouvez ainsi la revoir. Les piscines ou les étangs ne semblent jamais aussi profonds qu'ils le sont réellement, car la lumière venant du fond est courbée avant d'atteindre vos yeux.

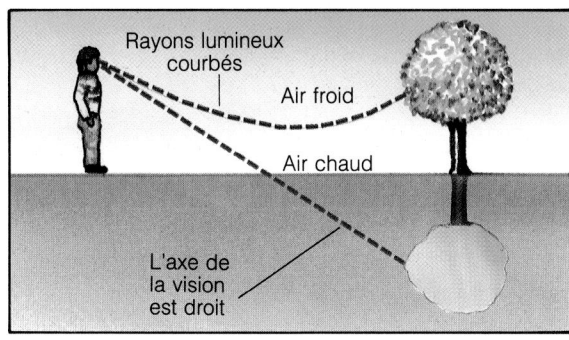

L'AIR COURBE LA LUMIÈRE

Un jour très chaud, vous apercevrez peut-être une flaque d'eau sur la route, bien que celle-ci soit en réalité complètement sèche. C'est la lumière solaire qui est « courbée » (réfractée) par l'air chaud près de la route. C'est également ce qui explique que des gens voient des mirages dans un désert (photo ci-dessus). L'air chaud courbe la lumière de sorte que des objets qui sont réellement très loin paraissent très proches.

Dans le schéma : Rayons lumineux courbés — Air froid — Air chaud — L'axe de la vision est droit

LE VERRE COURBE LA LUMIÈRE

Tenez un crayon derrière un récipient en verre mince avec la moitié du crayon au-dessus du récipient. Vous observerez que le crayon semble coupé au bord du verre. C'est également parce que la lumière voyage plus lentement dans le verre que dans l'air. Le crayon paraît « courbé », puisque les rayons lumineux changent de direction au bord du verre.

Le verre peut avoir différentes formes et courber ainsi la lumière dans diverses directions. Tournez la page pour en savoir plus.

13

LES LENTILLES

Les matières transparentes (eau, verre) qui courbent la lumière par réfraction, fonctionnent comme des lentilles. Les lentilles sont incurvées sur une ou deux faces et dévient la lumière dans des directions particulières. Selon la forme des lentilles, les objets semblent plus gros ou plus petits. Vous saurez comment fonctionne une lentille pages 16 et 17.

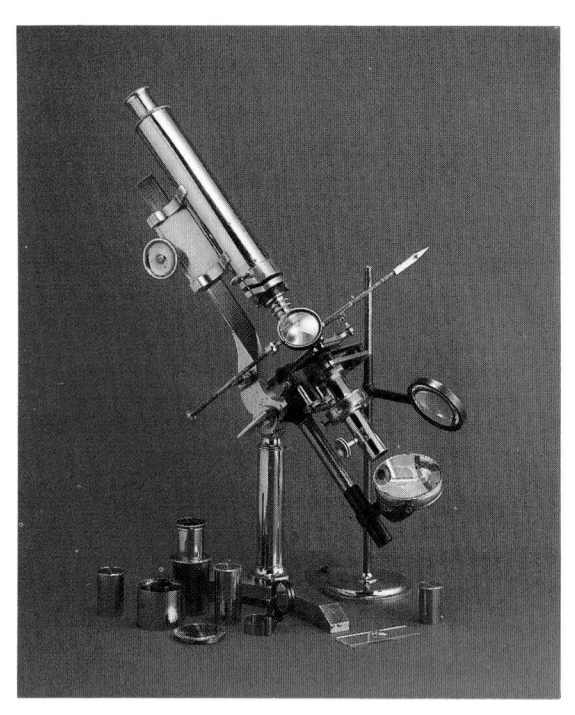

Les lentilles sont faites de matériaux ayant des surfaces plates et transparentes. Généralement, les lentilles sont en verre. Elles sont employées dans les lunettes, les caméras, les microscopes et télescopes.
Un microscope (à droite) utilise plusieurs lentilles et grossit plusieurs milliers de fois des objets minuscules.

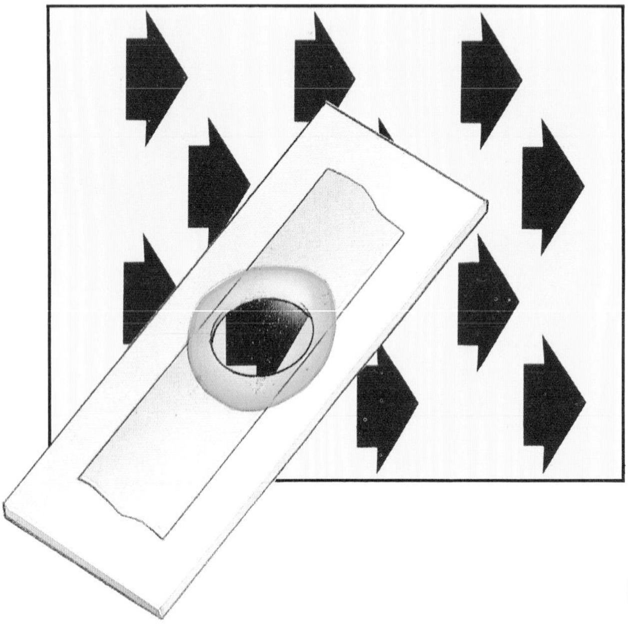

GROSSIR LES OBJETS...

L'eau agit parfois comme une lentille en grossissant les objets examinés. Fabriquez une lentille avec une goutte d'eau pour voir ce qui se passe.
Découpez un trou de 2,5 cm de diamètre dans un morceau de carton. Fixez un morceau de ruban adhésif transparent pour obturer le trou. Utilisez une paille pour déposer une goutte d'eau sur le ruban. Regardez une feuille ou une page de journal à travers la goutte d'eau et vous verrez que les objets paraissent plus gros avec cette lentille.

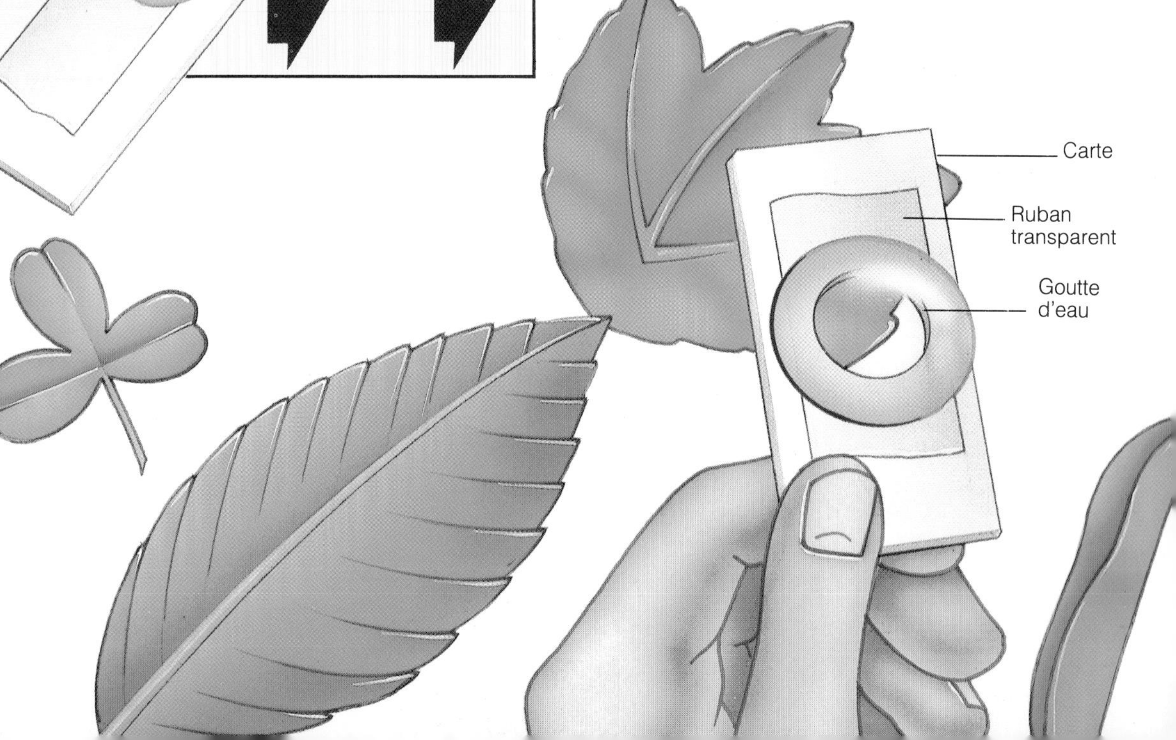

Carte

Ruban transparent

Goutte d'eau

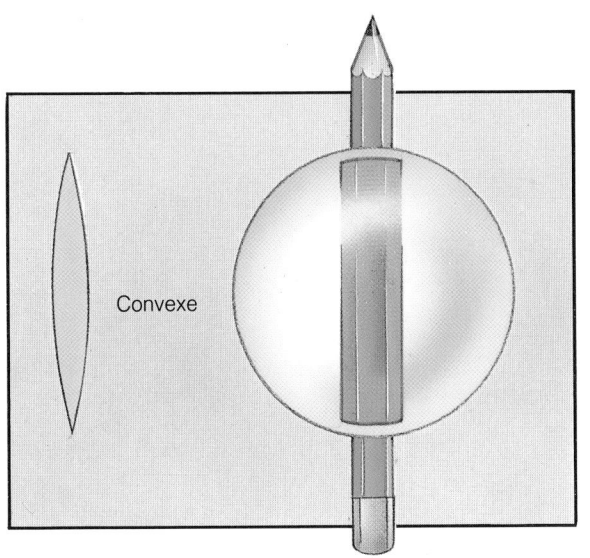

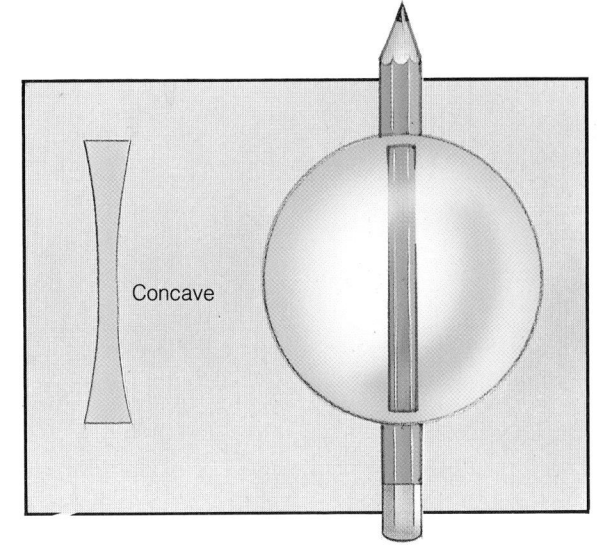

Les lentilles *convexes* grossissent les objets. Elles sont plus minces en leur centre que sur les bords, puisqu'elles sont incurvées vers l'extérieur.

Les lentilles *concaves* font paraître les objets plus petits. Elles sont plus minces en leur centre et plus épaisses sur les bords.

... OU LES RÉTRÉCIR

Essayez de vous procurer les lunettes d'une personne myope. (Il ou elle a des difficultés à voir les choses lointaines.) Tenez les lunettes au-dessus des caractères de cette page et regardez à travers les lentilles. Vous remarquerez que les caractères paraissent minuscules.

Si vous ne pouvez pas emprunter de lunettes... essayez de regarder à travers le fond d'un verre très épais. (Cela ne marchera pas aussi bien que les lunettes : les lettres peuvent être déformées, car le verre n'est pas incurvé régulièrement.)

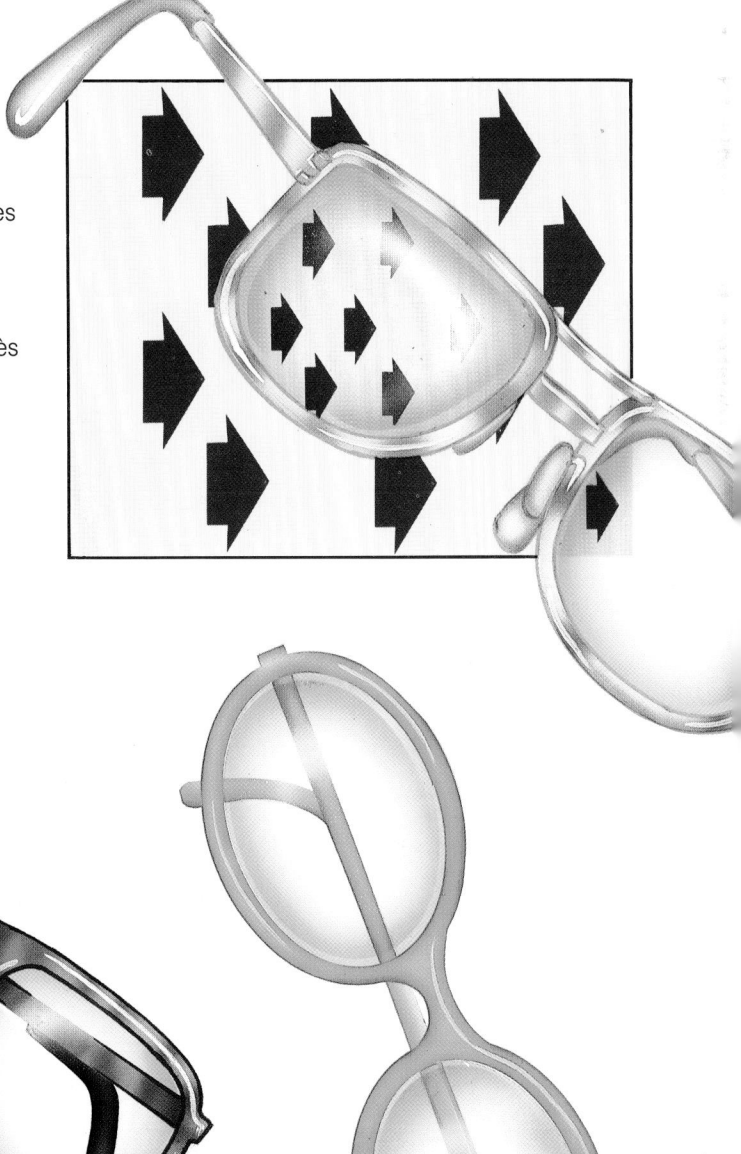

COMMENT FONCTIONNENT LES LENTILLES

1 Découpez un trou dans la carte de 2,5 cm de diamètre et fixez le peigne devant ce trou.

2 Dans une pièce sombre, posez la carte devant la lampe.

3 Placez le papier blanc en face des rayons lumineux provenant de la lampe afin de les voir clairement. (Vous devrez peut-être poser le papier sur des livres.)

4 Placez la loupe devant le papier et constatez ce que deviennent les rayons lumineux.

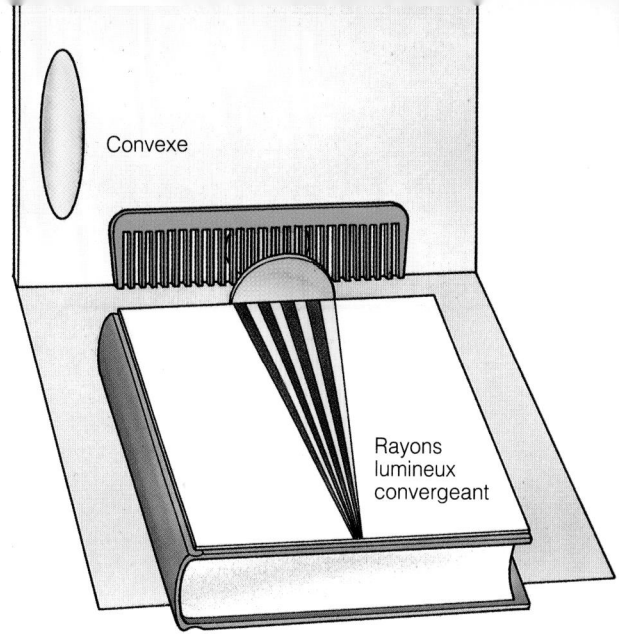

Convexe

Rayons lumineux convergeant

TÉLESCOPES

Une lentille tenue près d'un petit objet peut le grossir, mais pour voir des objets très éloignés, vous avez besoin d'un télescope. Les télescopes rapprochent les objets examinés afin qu'ils puissent être vus nettement et en détail.

▶ Certains astronomes amateurs utilisent des télescopes comme celui-ci pour observer le ciel. Ce type de télescope révèle les détails de la surface de la Lune et permet de voir les anneaux autour de Saturne. Il peut être utilisé pour voir des galaxies distantes de 50 millions d'années-lumières.

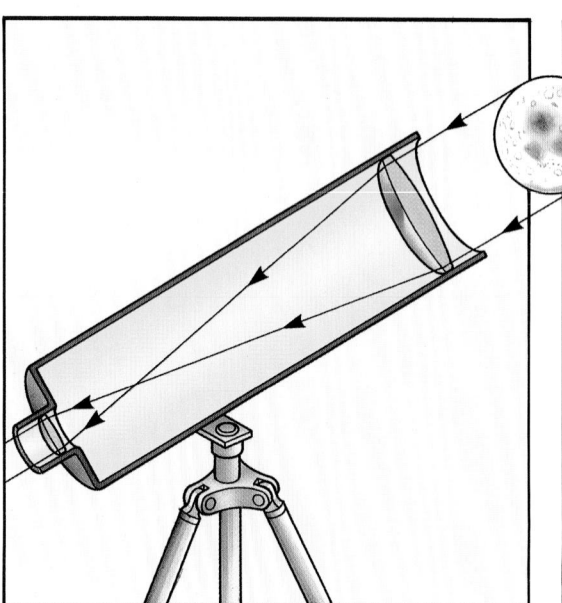

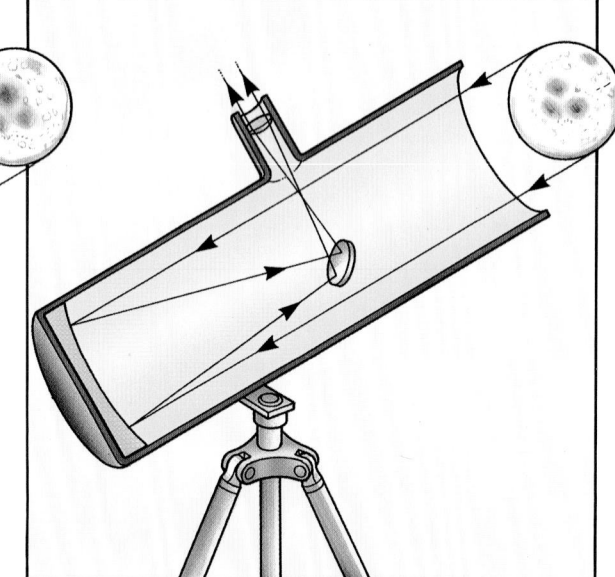

Certains télescopes ont deux lentilles réfractant (courbant) la lumière : ce sont des télescopes *réfracteurs.* Une grande lentille recueille et fait converger la lumière ; une petite lentille grossit l'image afin qu'elle soit nette.

D'autres télescopes utilisent des miroirs pour réfléchir la lumière : ce sont des télescopes *réflecteurs.* Un grand miroir incurvé réfléchit la lumière sur un petit miroir plat qui, à son tour, réfléchit la lumière sur une petite lentille. Celle-ci grossit alors l'image.

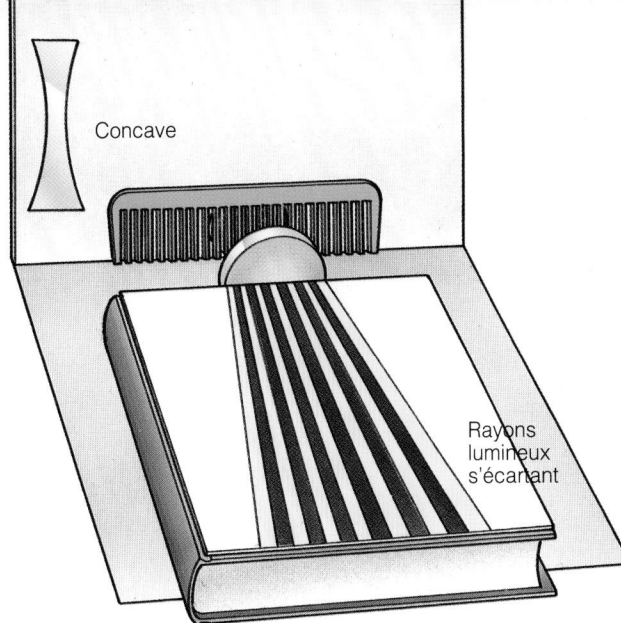

Concave

Rayons
lumineux
s'écartant

Matériel : une feuille de carton, un peigne, une lampe, ruban adhésif, une loupe, une feuille de papier blanc, livres (facultatif).

Que se passe-t-il ?

La loupe est une lentille convexe. Elle courbe les rayons afin qu'ils se dirigent tous vers le même point : c'est la *convergence* de la lumière.

Maintenant, reprenez l'expérience en utilisant une lentille concave, comme les lunettes d'une personne myope. Dans ces lentilles, le centre est incurvé vers l'intérieur. Cette fois, vous vous apercevrez que les rayons lumineux s'écartent, au lieu de converger vers un point.

CONSTRUIRE UN TÉLESCOPE

Matériel : un miroir de rasage, un petit miroir plat, une loupe.

1 Posez le miroir près d'une fenêtre en direction et face aux étoiles ou à la Lune.
2 Placez le miroir plat sur la fenêtre afin de voir au centre le reflet de l'autre miroir.
3 Examinez la réflexion dans le miroir plat à l'aide de la loupe. Les étoiles ou la Lune vous paraîtront plus proches à travers cette lentille.

Le premier télescope réflecteur fut fabriqué par Isaac Newton vers le milieu du XVIIe siècle.

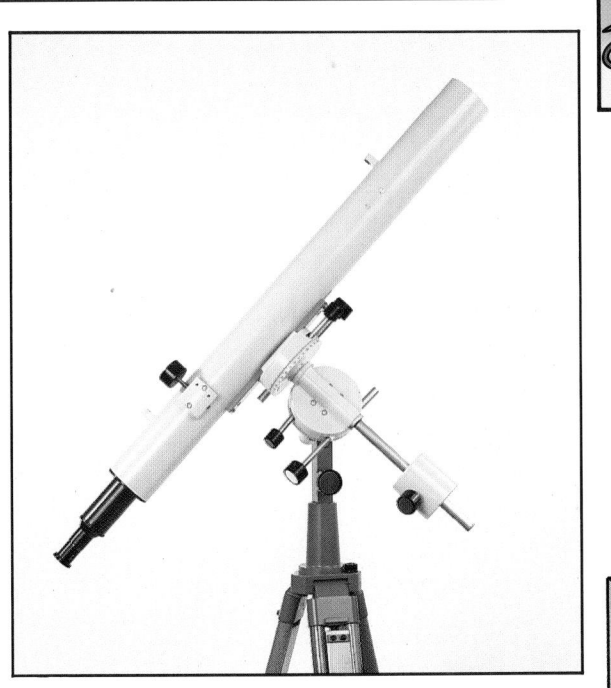

Attention : ne regardez jamais le soleil avec les lentilles ou le télescope, vous pourriez devenir aveugle.

LA LUMIÈRE ET LA VISION

Quand vos yeux sont ouverts, la lumière réfléchie par les objets pénètre dans vos yeux par la *pupille* — le trou noir au centre de l'œil. La pupille est donc une ouverture dans la partie colorée de l'œil, qui se nomme elle-même l'*iris*. Une lentille placée derrière la pupille fait converger la lumière sur une couche sensible à la lumière et située à l'arrière de l'œil : la *rétine*. Des nerfs optiques spéciaux transportent les messages de la rétine vers le cerveau, qui interprète les images vues.

LES POUVOIRS DE LA PUPILLE

La pupille peut changer de taille pour contrôler la quantité de lumière entrant dans l'œil. Vous pouvez le voir si vous regardez vos propres yeux de très près. Restez dans une pièce sombre pendant plusieurs minutes. Regardez dans un miroir et notez la taille de votre pupille. Puis allez dans une pièce très éclairée, ou allumez une lampe. Regardez à nouveau la taille de votre pupille. Que remarquez-vous ?

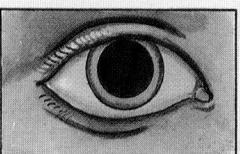
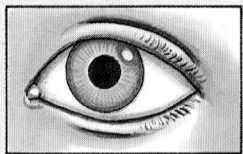

Sombre   Lumière

Sous une lumière faible, les pupilles s'ouvrent pour laisser entrer largement la lumière.
En lumière vive, elles rétrécissent pour éviter que trop de lumière n'atteigne la rétine et n'endommage la couche sensible.

◀ Vue en coupe d'un œil humain. L'image de la personne est renversée car les rayons lumineux se propagent en ligne droite et se croisent derrière la lentille.

Blanc de l'œil

Choroïde

Rétine

Nerf optique (vers le cerveau)

Silhouette d'homme à l'envers

Cône   Bâtonnet

Nerf

Cils

Conjonctive

Iris

Rayons lumineux

Pupille

Cornée

Lentille

Corps ciliaire

Humeur vitreuse

Os de l'orbite

Cercle : vue très agrandie des cellules spéciales de la rétine, qui sont appelées *cônes* et *bâtonnets*, en raison de leurs formes. Les bâtonnets sont sensibles à l'intensité de la lumière, mais pas à la couleur. Ils travaillent mieux quand la lumière est faible. Les cônes sont sensibles à la lumière vive et aux couleurs.

FABRIQUER UN ŒIL MODÈLE

Matériel : un bol rond plein d'eau, une carte noire et une carte blanche, une petite lampe sans abat-jour.

1 Faites un petit trou au centre de la carte noire (il représente votre pupille).
2 Placez la carte noire d'un côté du bol et la carte blanche (qui représente la rétine) de l'autre côté.
3 Placez la lampe sur une ligne passant par les deux cartes et allumez-la.
4 Éteignez toutes les autres lumières de la pièce et tirez les rideaux (si nécessaire).

5 Bougez la carte blanche jusqu'à ce que l'image de la lampe y apparaisse.

Que se passe-t-il ?

L'image que vous verrez sera plus petite et inversée. L'image formée sur la rétine à l'arrière de vos yeux est aussi renversée, mais votre cerveau y est habitué et peut interpréter l'image en la « redressant ».

Carte noire — ... — Carte blanche

Image inversée

MYOPIE ET HYPERMÉTROPIE

Certaines personnes ne peuvent pas fixer leur regard sur des objets éloignés. En effet, la lentille de l'un ou de leurs deux yeux fait converger l'image *devant* leurs rétines : l'image formée sur la rétine est floue. C'est la *myopie.* Elle peut être corrigée en portant des lunettes dont les verres sont concaves.

LA DISPARITION DU LAPIN

À l'arrière de l'œil se trouve le nerf optique qui va de l'œil au cerveau. À cet endroit de la rétine, il n'y a ni cône ni bâtonnet et si la lumière arrive en ce point, vous ne verrez rien. Faites ce tour pour le « voir ».

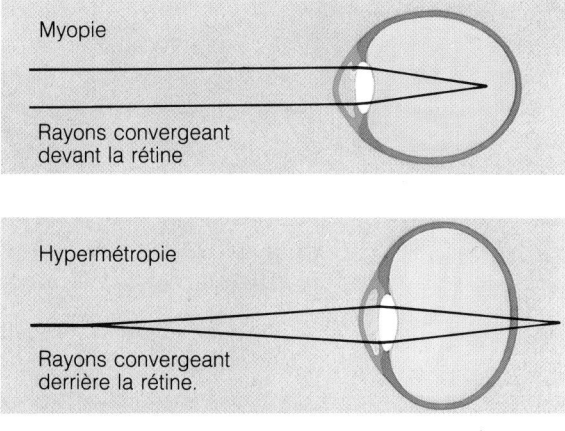

Myopie

Rayons convergeant devant la rétine

Hypermétropie

Rayons convergeant derrière la rétine.

D'autres personnes ne peuvent fixer les objets proches : leur lentille forme une image claire *en arrière* de la rétine. C'est l'*hypermétropie,* qui se corrige avec des lentilles convexes.

Tenez ce livre devant votre visage à une distance normale de lecture. Fermez votre œil gauche et fixez la baguette du magicien. Rapprochez lentement le livre et le lapin disparaîtra.

SE SERVIR DES DEUX YEUX

Puisque vous avez deux yeux, vous enregistrez deux images de chaque objet examiné. Chaque œil regarde un objet d'une position un peu différente. Cela permet de voir en trois dimensions plutôt que d'observer des images sans relief. Vous pouvez juger les distances et apprécier la perspective.

COMBIEN DE CRAYONS ?

1 Posez un verre d'eau sur une table et placez un crayon derrière lui à 30 cm.
2 Regardez à travers le verre et vous verrez les images de deux crayons.
3 Approchez votre œil gauche et le crayon droit disparaîtra. Approchez votre œil droit et ce sera le crayon gauche qui s'effacera.

Que se passe-t-il ?
L'eau se comporte comme une lentille pour produire les images, mais comme elle est contenue dans un cylindre (verre), chaque œil regarde à travers l'eau avec un angle légèrement différent. Avec les deux yeux, vous voyez deux crayons, mais avec un œil, vous ne voyez qu'une image.

ENVOYEZ LA FUSÉE SUR LA LUNE

Tenez ce livre en touchant le point de la figure ci-dessous avec votre nez. Tournez lentement le livre dans le sens opposé à celui des aiguilles d'une montre : la fusée volera dans l'espace et atterrira sur la Lune.

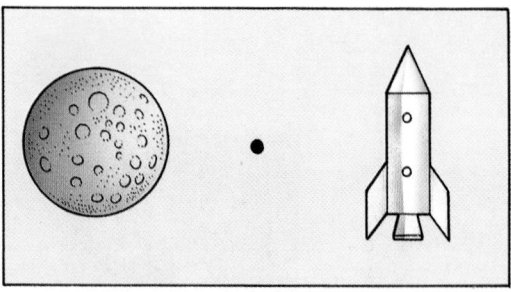

Que se passe-t-il ?
Chaque œil envoie un message légèrement différent au cerveau. L'œil droit voit la fusée et le gauche, la Lune. Votre cerveau combine les deux images, ce qui donne l'illusion que la fusée vole.

TOUCHER LE POINT

Dessinez un point sur un morceau de papier et posez ce papier sur une table devant vous à 75 cm. Asseyez-vous à la table, mettez une main devant l'un de vos yeux et utilisez votre autre main pour essayer de toucher le point avec un crayon.

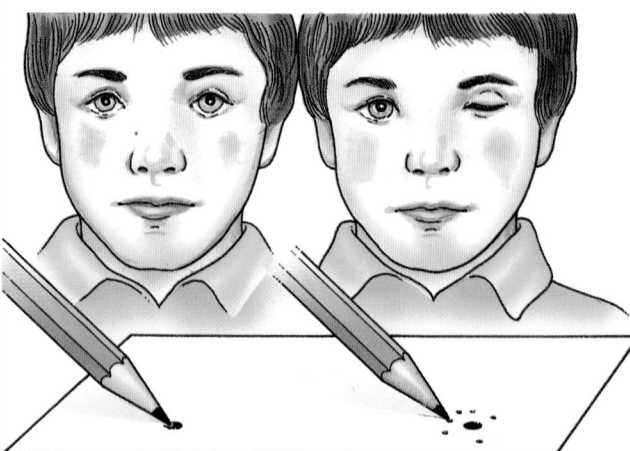

Vous constaterez que c'est difficile de toucher le point au premier essai. Vous utilisez les deux yeux pour trouver la position des objets et vous ne pouvez juger facilement la distance avec un seul œil.

LE TROU DANS LA MAIN

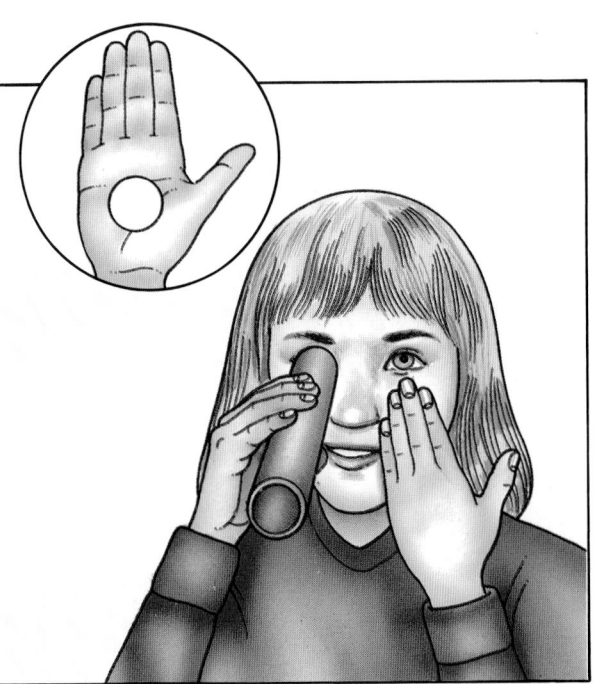

Prenez un tube de carton ou roulez une feuille de papier. Regardez à travers le tube avec votre œil droit et tenez votre main gauche à côté du tube, la paume vers votre œil gauche. Vous verrez alors un trou au centre de la paume de votre main gauche.

Que se passe-t-il ?

Votre œil droit voit l'intérieur du tube et votre œil gauche, votre main ouverte. Le cerveau est abusé par des signaux aussi différents.
Il combine donc les images et vous voyez apparaître le trou.

UNE VISIONNEUSE EN TROIS DIMENSIONS

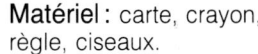

Matériel : carte, crayon, règle, ciseaux.

1 Tracez cette croix sur la carte en utilisant la règle et le crayon. Faites-la d'une hauteur de 5 cm, chaque bras ayant environ 1,3 cm de large.
2 Découpez la croix, cela afin de laisser un trou au centre de la carte.
3 Tenez la carte à la verticale et à angle droit d'une image ou d'une photographie.
4 Regardez fixement et intensément à travers la croix et vous verrez alors une image en relief. (Préparez-vous à la voir, cela vous aidera beaucoup.)

Que se passe-t-il ?

La croix cache les côtés de l'image et vous ne pouvez pas voir qu'elle est réellement plate. Votre cerveau est habitué à voir le monde en trois dimensions et recrée donc la troisième dimension de l'image.

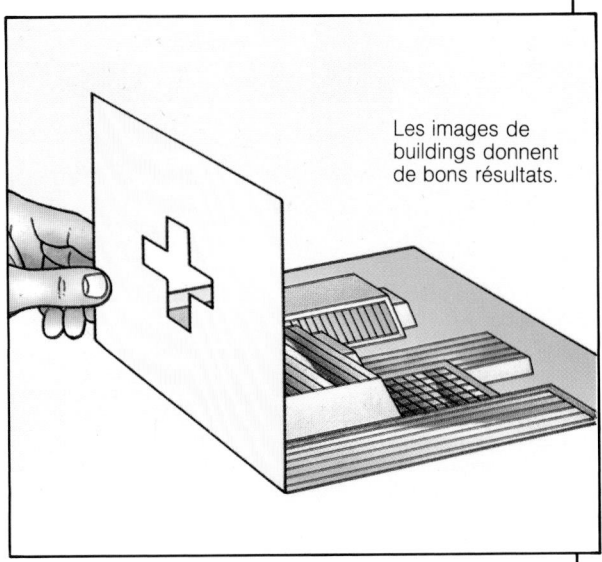

Les images de buildings donnent de bons résultats.

TROMPEZ VOS YEUX

Voici plusieurs trucs pour tromper vos yeux et faire bouger les objets, même s'ils sont immobiles ! Vous pourrez aussi vous apercevoir à quel point un arrière-plan inhabituel peut changer la forme ou la taille d'un objet.

VOYEZ LE FANTÔME DANS LE CHÂTEAU

Tenez ce livre devant vous à 30 cm de vos yeux. Regardez fixement le fantôme noir et concentrez-vous sur son image. Comptez lentement jusqu'à trente. Puis regardez immédiatement sous la voûte du château. Comptez jusqu'à dix et vous verrez un fantôme blanc apparaître.

Que se passe-t-il ?

Quand vous fixez le fantôme blanc, la partie de la rétine sur laquelle se forme l'image ne reçoit aucune autre lumière vive. Mais les autres parties de la rétine renvoient au cerveau des messages sur le fond blanc et brillant autour du fantôme. Quand vous regardez sous la voûte, la partie de la rétine qui voyait le fond blanc est fatiguée et ne voit plus parfaitement le blanc de l'arche : l'arche paraît alors un peu grise. Mais la partie de la rétine

ÉCOUTEZ LA MUSIQUE !

Regardez cette image d'un disque sur une platine et, lentement, tournez le livre en rond. Vos yeux ne pourront pas suivre les raies tour après tour, car ils ne peuvent modifier leur position aussi rapidement. Votre cerveau interprétera donc l'image comme un disque en mouvement, ce qu'il *s'attend* à voir.

impressionnée par le fantôme travaille correctement. Aussi la plus grande partie de l'arche (la forme du fantôme) apparaît blanche. C'est pourquoi vous voyez apparaître un fantôme blanc sous l'arche.

ARRIÈRE-PLANS INHABITUELS

Toutes ces figures ont-elles la même taille ?

Regardez attentivement ces schémas. Les trois figures sont toutes de la même taille, mais les lignes du fond donnent l'impression que la figure de droite est plus grande que les autres. Dans le schéma ci-dessous, les dessins du fond troublent les yeux et le cerveau : le cercle ne semble pas être un vrai cercle.

Ce cercle est-il rond ?

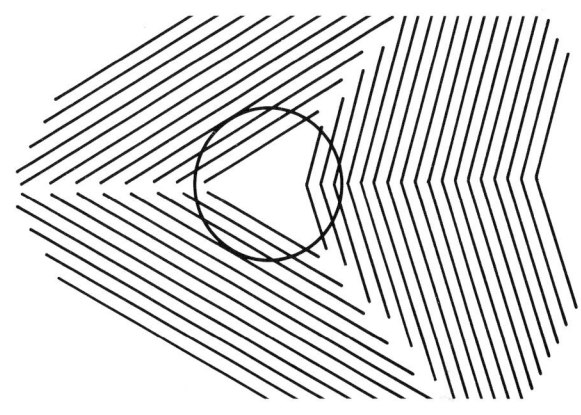

LES INDICES DE TAILLE ET DE DISTANCE

Nos yeux utilisent plusieurs indices pour découvrir à quelle distance sont les objets et leur taille. Nous comparons souvent la taille des objets avec celles d'objets proches d'eux. Cela nous donne un sens de la perspective. Étudiez ces images : les indices sont déroutants, ce qui complique l'appréciation de la distance et de la perspective.

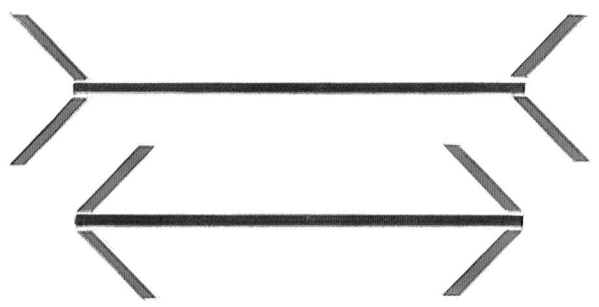

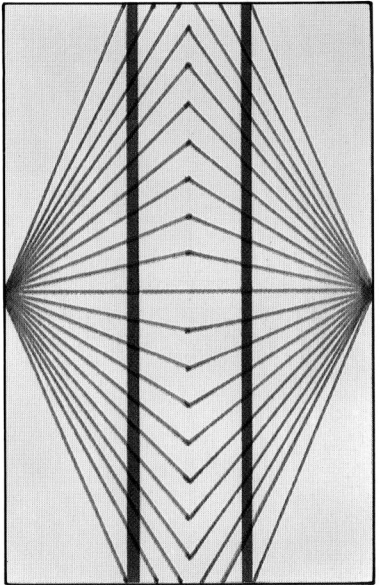

Dans ces deux schémas, les deux lignes verticales paraissent courbes, bien qu'elles soient réellement droites.

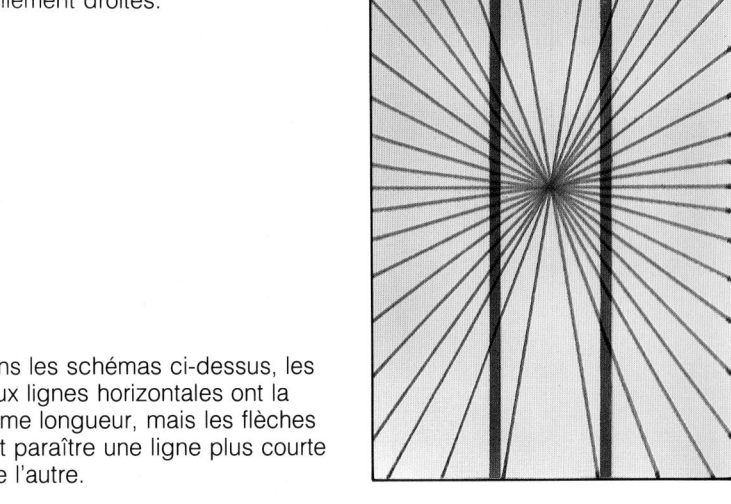

Dans les schémas ci-dessus, les deux lignes horizontales ont la même longueur, mais les flèches font paraître une ligne plus courte que l'autre.

LE CINÉMA

Si vos yeux voient deux images très rapidement et l'une après l'autre, ils peuvent ne pas distinguer que le dessin a changé : l'image semblera bouger. Vous ne pouvez enregistrer que douze images par seconde comme images distinctes. Si les images défilent plus rapidement, vous verrez un film. Dans un film, au cinéma, vingt-quatre photographies (images) par seconde défilent devant vos yeux.

COMMENT FAIRE BOUGER LES IMAGES ?

Avant que les films ne soient inventés, les gens réalisaient des films avec des séries de dessins. Chacun d'entre eux était légèrement différent du précédent. Les dessins étaient faits sur un livre feuilleté rapidement avec le pouce. Cela faisait défiler les images et les yeux percevaient un mouvement régulier. Vous pouvez le faire vous aussi, d'abord avec deux images, puis avec toute une série.

METTEZ LE POISSON DANS L'AQUARIUM

1 Dessinez un poisson et un aquarium séparés sur une carte : le poisson sera d'un côté de la carte et l'aquarium de l'autre.
2 Fixez la carte sur un crayon avec du ruban adhésif.
3 Tenez le crayon entre les paumes de vos mains.

HEUREUX OU MALHEUREUX ?

1 Sur une carte ou une feuille de papier, dessinez un visage avec un grand sourire.
2 Posez un morceau de papier calque sur le visage et fixez-les ensemble par le côté gauche.
3 Redessinez le visage sur le papier calque, mais avec une grimace au lieu d'un sourire.
4 Roulez ensuite avec soin le papier calque autour d'un crayon.
5 Bougez rapidement le crayon de gauche à droite en roulant et déroulant le papier calque. Observez l'expression du visage : triste, gaie, triste, gaie... Essayez de trouver d'autres idées et recommencez.

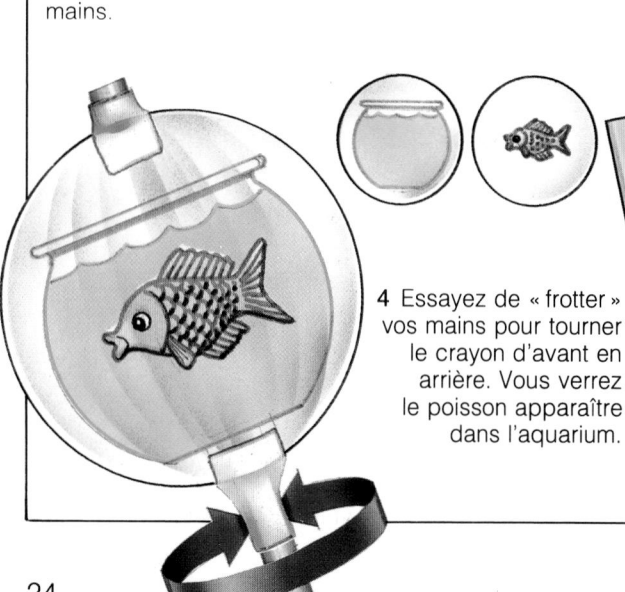

4 Essayez de « frotter » vos mains pour tourner le crayon d'avant en arrière. Vous verrez le poisson apparaître dans l'aquarium.

FABRIQUER
VOTRE FILM

Matériel : papier, crayon, aiguille et fil de nylon (ou un petit carnet neuf).

Trouvez un carnet neuf avec de petites pages ou faites un tout petit livre. Pour cela, coupez le papier en petits carrés de 7,5 cm × 7,5 cm. Pliez les carrés au centre et assemblez le livre en faisant une couture le long du pli avec l'aiguille et le fil. (Demandez à un adulte de vous aider si le papier est vraiment trop épais.)

Faites une couture le long du pli.

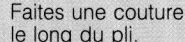

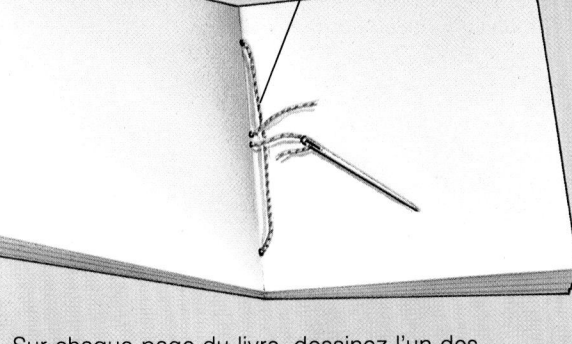

Sur chaque page du livre, dessinez l'un des dessins de la série présentée à droite. Vous pourrez aussi utiliser vos propres images si chacune de vos images est légèrement différente de la précédente. Faites attention de ne dessiner que sur un seul côté de la page. Quand le livre est terminé, feuilletez les pages avec votre pouce : l'histoire s'anime !

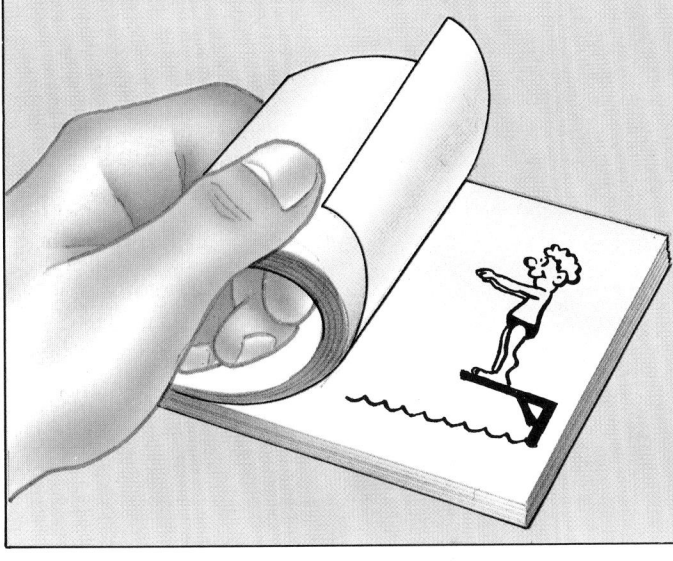

L'ARC-EN-CIEL

La lumière solaire ou la lumière d'une ampoule électrique semble incolore : c'est la « lumière blanche ». En réalité, c'est un mélange de différentes couleurs. Vous pouvez seulement voir ces couleurs quand la lumière traverse une substance transparente (eau ou verre) qui sépare les couleurs. Vous voyez alors un *spectre*.

Le spectre de la lumière est constitué de sept couleurs — rouge, orange, jaune, vert, bleu, indigo et violet — ainsi que de deux couleurs non visibles (ultraviolet et infrarouge). Vous pouvez voir ce spectre dans les gouttes d'eau, mais le plus simple est d'observer un arc-en-ciel.

FABRIQUER UN ARC-EN-CIEL

C'est Isaac Newton, un savant du XVIIᵉ siècle, qui découvrit le premier que la lumière pouvait être divisée en plusieurs couleurs. Il utilisa pour cela un petit morceau de verre à faces triangulaires

(un prisme). Vous pouvez remplacer le prisme par une cuvette, de l'eau et un miroir plat pouvant entrer dans la cuvette.

Un jour ensoleillé, remplissez une cuvette d'eau et posez un miroir plat à l'intérieur (debout). Disposez la cuvette pour que la lumière solaire tombe sur le miroir. Placez une carte blanche devant le miroir et bougez-la jusqu'à ce qu'un arc-en-ciel apparaisse. Vous devrez peut-être modifier la position du miroir pour obtenir cet effet. Lorsque la carte et le miroir sont dans la bonne position, vous pouvez immobiliser le miroir avec un peu de pâte à modeler.

Que se passe-t-il ?
La couche d'eau entre le miroir et la surface agit comme un prisme et divise la lumière : vous pouvez ainsi voir les différentes couleurs. Cela se produit car les couleurs de la lumière blanche se propagent à des vitesses légèrement différentes et sont courbées (réfractées, voir pages 12 et 13) différemment à l'intérieur du prisme. La lumière violette est la plus courbée et la lumière rouge la moins courbée.

Pour en savoir plus
Posez une loupe entre le miroir et la carte. Vous observerez que la lentille courbe la lumière de telle sorte que les couleurs se rassemblent et l'arc-en-ciel disparaît ! Cela montre bien que les sept couleurs de l'arc-en-ciel se combinent pour donner de la lumière blanche.

LES TOUPIES COLORÉES

Voici un autre moyen de montrer que les sept couleurs de l'arc-en-ciel composent la lumière blanche.

Matériel : carte, ciseaux, un crayon court et très pointu ou un bâton pointu.

1 Découpez un disque de 10 cm de diamètre.
2 Divisez-le en sept sections égales. Utilisez pour cela un rapporteur : chaque section aura une largeur de 51°.
3 Coloriez chaque section avec l'une des couleurs du spectre.
4 Faites un petit trou au centre du disque et glissez-y le crayon ou le bâton pointu.
5 Tournez le disque rapidement. Que remarquez-vous ?

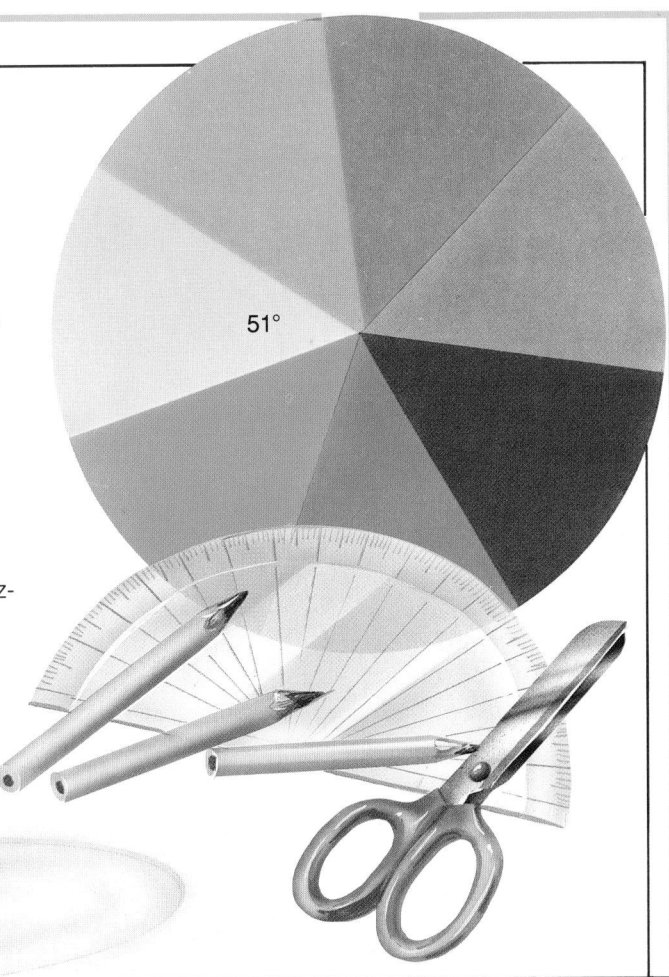

51°

Pour en savoir plus

● Faites un autre disque, mais divisez-le en trois sections. Coloriez une section en rouge, une autre en bleu et une en vert. Quand vous tournez le disque, il paraît également blanc grisâtre. En effet, le rouge, le bleu et le vert sont les trois principales couleurs auxquelles l'œil peut réagir. Ce sont les *couleurs primaires* de la lumière.

● Essayez différentes combinaisons de deux couleurs primaires : rouge et vert, rouge et bleu. Quelle couleur voyez-vous quand vous tournez les disques ? Vous trouverez cela différent du mélange de pigments. (Voir page 32.)

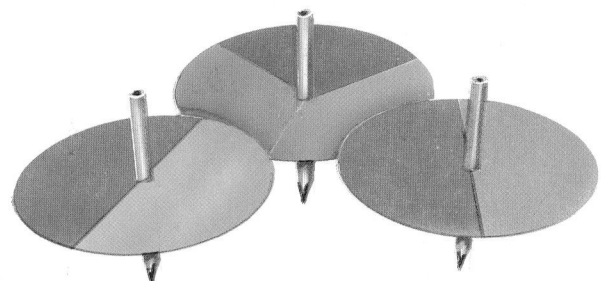

Que se passe-t-il ?

Quand le cercle tourne rapidement, vos yeux ne peuvent séparer chaque couleur. Vous voyez seulement le mélange des différentes couleurs. C'est pourquoi le disque portant les sept couleurs apparaît blanc grisâtre lorsqu'il tourne assez rapidement.

QUELLE COULEUR EST-CE ?

La plupart des objets ne produisent pas de lumière. Nos yeux ne voient que la lumière réfléchie par eux. Aussi la couleur d'un objet dépend de la couleur de la lumière réfléchie jusqu'à nos yeux.

▶ La perception des couleurs dépend du type de lumière qui arrive sur les objets. La lumière jaune des réverbères au sodium rend certaines couleurs très brillantes. Elles sont donc utilisées la nuit pour les équipements et les vêtements de sécurité.

CONNAÎTRE LES COULEURS

Les *objets blancs* réfléchissent toutes les couleurs.

Les *objets colorés* réfléchissent certaines couleurs et absorbent le reste. Nous voyons la couleur réfléchie. Une chemise rouge réfléchit plus la partie rouge du spectre. Elle absorbe la plupart des autres couleurs de la lumière qui arrivent sur elle.

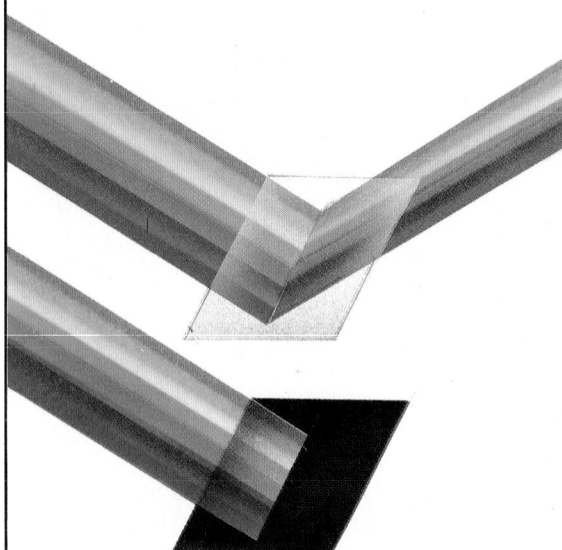

Les *objets noirs* ne réfléchissent guère la lumière arrivant sur eux. Mais même eux réfléchissent un peu de lumière. La seule chose qui peut être complètement noire est un trou. Faites cette expérience pour le prouver.

Trouvez une boîte avec un couvercle et découpez un petit trou à l'un des bouts de la boîte. Peignez l'intérieur de la boîte et la face autour du trou noir. Quand vous regarderez la face peinte, elle paraîtra noire, mais le trou semblera plus sombre. La lumière entrant dans la boîte ne rebondit pas d'un côté à l'autre de la boîte. Le trou ne réfléchit donc aucune lumière : il est complètement noir.

SANS ISSUE

La plupart des matériaux réfléchissent toute la lumière qui leur parvient et ne laissent passer aucune lumière. Ainsi le papier, le métal, la pierre et le tissu sont des matériaux *opaques*.

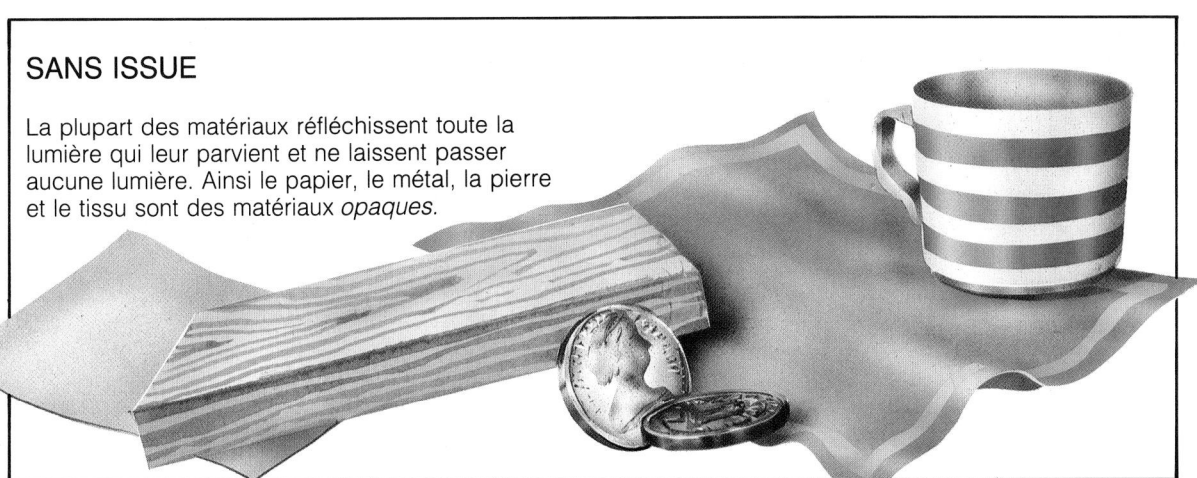

OBJETS TRANSPARENTS

Certains matériaux ne réfléchissent pas la lumière. Toute la lumière les traverse et vous pouvez voir à travers eux : le verre et l'eau sont *transparents*. Cherchez des objets en matière transparente. (Vous en saurez plus sur la transparence en lisant les pages 30 et 31.)

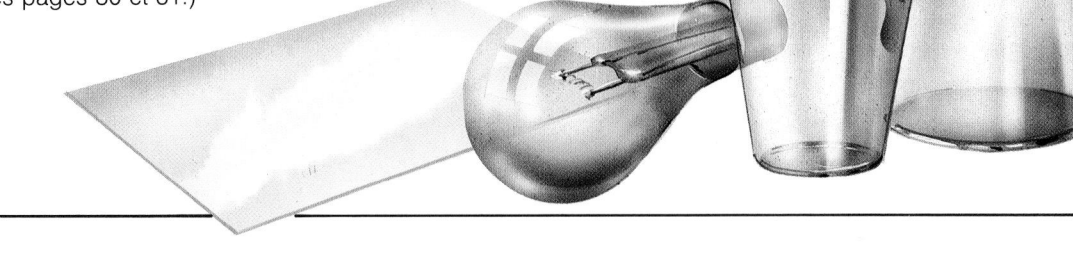

SI LA LUMIÈRE PASSE...

Quelques matériaux réfléchissent et laissent aussi passer la lumière. Le verre dépoli, le plastique épais, le papier calque sont des matériaux *translucides*. Si vous regardez à travers un matériau translucide, les objets vous paraîtront troubles.

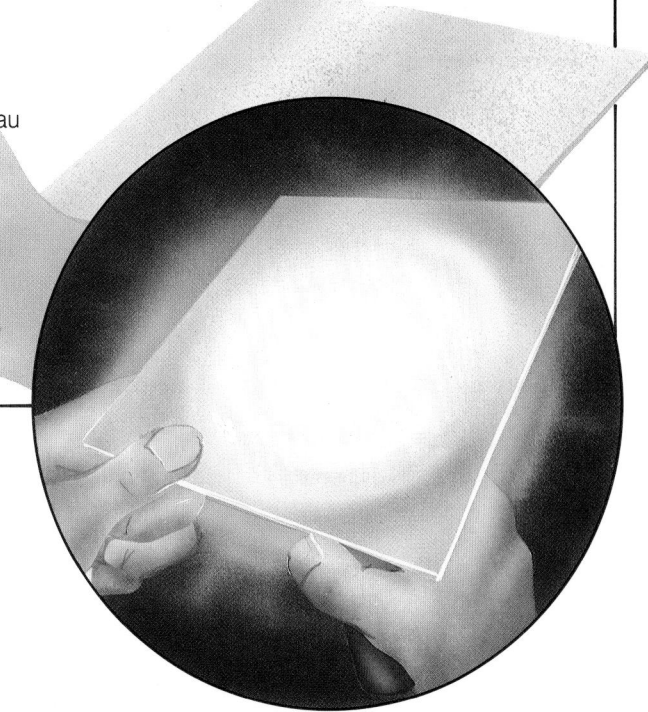

La lumière est déviée dans toutes les directions.

CHERCHEZ LA DIFFÉRENCE

Vous pouvez contrôler si un objet est translucide ou transparent en allumant une lampe derrière lui dans une pièce obscure. Si la lumière est nette, l'objet est transparent. S'il paraît flou, il est translucide.

CHANGER LA COULEUR

Les matériaux transparents sont utilisés pour faire des filtres colorés qui changent la couleur des objets observés. Un filtre coloré n'est traversé que par une lumière de même couleur que lui.

FABRIQUER UNE VISIONNEUSE

Faites cette expérience pour voir ce que deviennent des objets éclairés par une lumière dont la couleur est différente de la leur.

Matériel : une boîte en carton avec un couvercle, cellophane colorée, ruban adhésif, objets colorés, ciseaux.

1 Fabriquez d'abord des filtres colorés. Découpez des cadres de 10 cm × 7 cm. Collez un morceau de cellophane sur chacun d'eux.
2 Découpez un rectangle sur le dessus de la boîte. (Faites-le un peu plus petit que les cadres.)
3 Faites un trou sur un côté de la boîte.
4 Posez un filtre de cellophane rouge sur le couvercle.
5 Placez un objet rouge (tomate) et un objet vert (pomme) dans la boîte. Éclairez-les par une lampe à travers le filtre. Si vous regardez par le trou, quelle est la couleur des objets ?

Que se passe-t-il ?
Le filtre rouge permet seulement le passage de la lumière rouge dans la boîte. La tomate rouge paraît pâle car elle réfléchit surtout la lumière rouge qui traverse le filtre. La pomme verte réfléchit

LE MONDE EN ROUGE

Faites un spectre à l'aide d'un prisme à eau (voir page 26) ou dessinez un arc-en-ciel sur du papier blanc. Regardez l'arc-en-ciel à travers de la cellophane colorée en rouge. Que devient le spectre ?

Que se passe-t-il ?
Seule la lumière rouge apparaît sur la carte. La cellophane est transparente et la lumière la traverse. Mais elle est aussi rouge, ce qui signifie donc qu'elle absorbe toutes les couleurs du spectre sauf le rouge. La lumière rouge est donc seule filtrée sur la carte. (La cellophane paraît rouge car elle réfléchit malgré tout un peu de lumière rouge.)

essentiellement de la lumière verte, lumière stoppée par le filtre : la pomme semble noire car elle ne réfléchit pas de lumière. Regardez aussi ces objets avec un filtre vert. Est-ce la tomate ou la pomme qui semble noire ? Recommencez avec d'autres filtres colorés et d'autres objets.

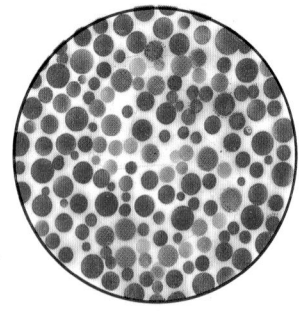

Certaines personnes ne distinguent pas le rouge et le vert et ne verront pas la lettre « S » du dessin ci-dessus. C'est une forme de daltonisme, ou cécité à certaines couleurs.

Filtres colorés

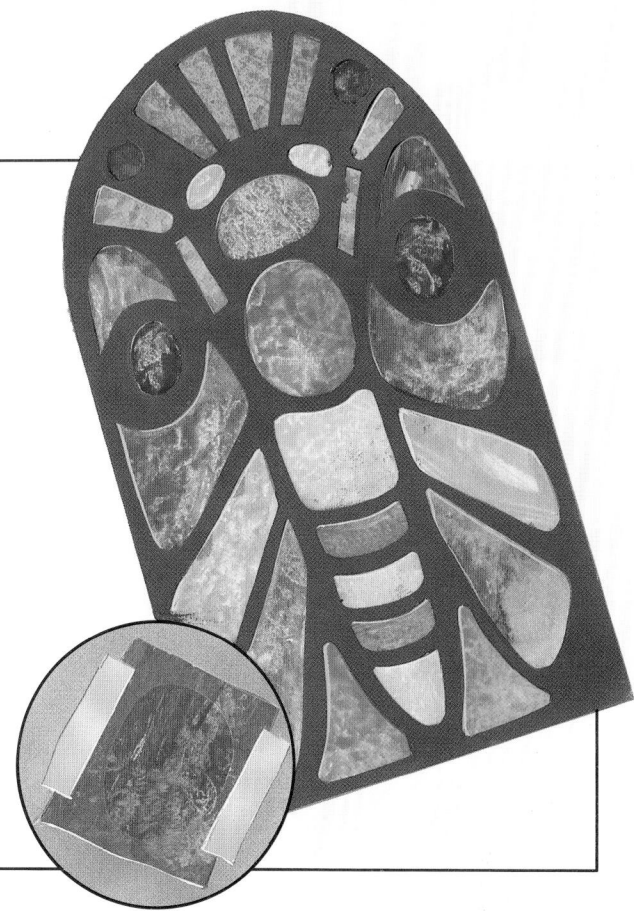

▲ Les filtres colorés produisent des effets de lumière spectaculaires dans les discothèques.

FAIRE UN VITRAIL

Les vitraux sont aussi des filtres colorés. Vous pouvez en fabriquer avec de la cellophane ou du papier de soie coloré.

1 Choisissez un motif à mettre sur votre fenêtre (une fusée, un bourdon...). Dessinez-le sur la carte.
2 Décidez votre projet de couleur et indiquez ces couleurs sur le motif.
3 Découpez les formes du motif, mais laissez assez de carte entre les zones du motif pour pouvoir coller la cellophane ou le papier de soie coloré.
4 Coupez la cellophane ou le papier de soie prévu pour les trous. Prévoyez chaque morceau assez large pour le coller sur la carte.
5 Fixez les formes colorées sur la carte avec de la colle ou du ruban adhésif et accrochez votre vitrail devant la lumière.

COULEURS COMPLÉMENTAIRES

Les objets colorés réfléchissent certaines couleurs de la lumière qui arrivent sur eux car ils contiennent des substances appelées *pigments*. Vous en saurez plus sur les pigments en étudiant les encres et les colorants utilisés pour teindre les objets.

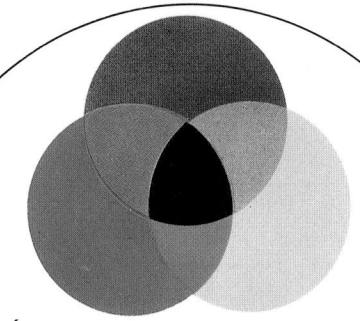

MÉLANGES DE PEINTURES

Plusieurs substances contiennent des pigments différents, réfléchissant chacun l'une des couleurs de la lumière. Quand vous mélangez des peintures, vous mélangez des pigments, ce qui est différent du mélange de couleurs.
(Voir page 27.)

LES ENCRES ET LES PIGMENTS

Voici un moyen de séparer les différents pigments colorés de certaines encres ou teintures.

Matériel : papier buvard blanc (ou grands filtres à café), une cuvette d'eau, encres ou teintures (colorant alimentaire ou crayon feutre).

1 Découpez le buvard ou le papier filtre en longues bandes de 2 cm × 30 cm.
2 Posez une goutte d'encre ou de colorant que vous voulez tester à l'extrémité du papier.
3 Accrochez la bande de papier de sorte que le bout portant la goutte d'encre trempe un peu dans l'eau. Vous verrez aussitôt la zone colorée s'étaler sur le papier.
4 Enlevez chaque bande de l'eau lorsque la couleur est presque en haut du papier. Laissez sécher le papier et vous pourrez étudier attentivement les couleurs.

Que se passe-t-il ?
Le papier absorbe l'eau de la cuvette et l'eau transporte toutes les couleurs sur le papier. Les différents pigments colorés voyagent à des vitesses différentes sur le papier et vous pouvez voir des bandes de couleurs séparées : c'est la *chromatographie*. Certaines encres et certains colorants contiennent seulement un pigment, mais la plupart en contiennent deux ou plus.

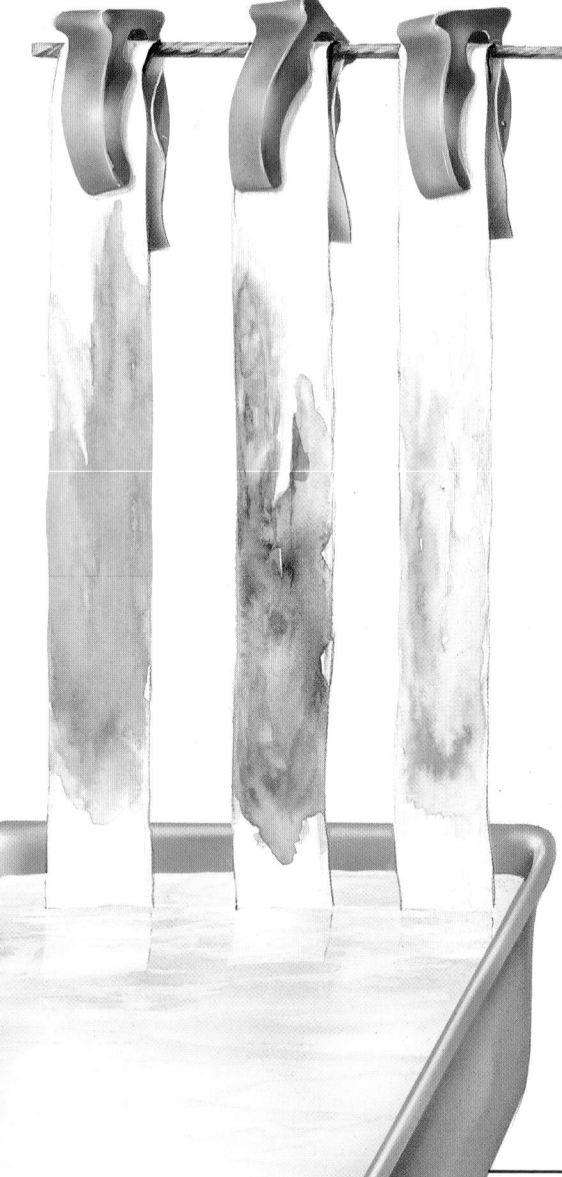

TEINTURIER

Le teinturier empêche la teinture d'atteindre certaines parties du vêtement, créant ainsi des motifs blancs sur le matériau coloré.

Matériel : un vieux mouchoir (ou un morceau de vêtement), ficelle ou fil, une teinture à l'eau froide achetée dans une quincaillerie (ou faites votre propre teinture).

1 Préparez la teinture selon la notice.
2 Choisissez la place des motifs sur le tissu. Faites un cône de tissu sur ces zones avec votre doigt ou votre pouce. Nouez de la ficelle autour. Puis nouez un second morceau de ficelle juste en dessous du premier.
3 Teignez le tissu, puis coupez la ficelle.

Que se passe-t-il ?

Les ficelles serrées ne permettent pas le passage de la teinture. Ces zones de tissu restent donc blanches et font de très beaux motifs de fleurs sur le tissu.

FABRIQUER VOTRE PROPRE TEINTURE

Avant l'invention des teintures artificielles, les gens utilisaient des teintures naturelles tirées des végétaux et de la terre pour colorer leurs vêtements, leurs poteries et les autres objets de la maison. Vous pouvez faire vous-même vos teintures.

Essayez les teintures sur des chiffons blancs, de vieux mouchoirs ou des morceaux coupés dans une vieille blouse. (N'utilisez pas vos propres habits car certaines de ces teintures sont permanentes.) Assurez-vous que le tissu est sec et propre. N'utilisez pas de tissu traité à l'adoucissant ; ces produits chimiques peuvent empêcher la teinture.

Les teintures à base de végétaux

Faites bouillir les feuilles ou les fruits avec un peu d'eau dans une casserole. Laissez frémir quinze minutes et arrêtez. Vous pouvez aussi mettre les plantes dans un bol et ajouter l'eau bouillante. Attendez quinze minutes.
Puis prenez un filtre. Coupez la moitié haute d'une bouteille en plastique, retournez-la et mettez-y le filtre à café. Versez le liquide à travers le filtre. Vous obtiendrez un liquide coloré que vous pourrez utiliser pour teindre.

Attention : demandez à un adulte de vous aider pour ces expériences. L'eau bouillante est très dangereuse et peut vous brûler gravement. Portez un tablier sur vos vêtements.

Couleurs possibles
● **Rouge :** betterave, cerises, chou rouge.
● **Jaune :** pelures d'oignons.
● **Vert :** épinards.
● **Marron :** iode, thé, café (2 cuillères à thé dans une 1/2 tasse à café).
● **Bleu :** dissoudre 1 cuillère de farine dans 1/2 tasse d'eau et ajoutez 1 ou 2 gouttes d'iode.

LA LUMIÈRE DE LA VIE

Les végétaux ont besoin de la lumière du Soleil pour fabriquer leur nourriture. Sans soleil, les végétaux meurent : aucune vie n'est possible sur Terre. Les espèces vivantes ont besoin des végétaux ou des animaux qui mangent des végétaux.

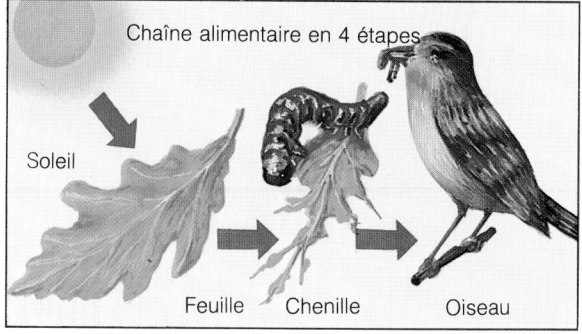

Chaîne alimentaire en 4 étapes

Soleil — Feuille — Chenille — Oiseau

▲ La lumière du Soleil est retenue par les plantes vertes, aliments pour les animaux. Les chaînes alimentaires s'associent : les animaux se nourrissent de plusieurs aliments.

LES PLANTES ET LA LUMIÈRE

Faites cette expérience pour prouver que les végétaux ont besoin de la lumière pour survivre. Trouvez une feuille de carton et posez-la sur un carré d'herbe, laissez-la en place plusieurs jours, puis ôtez-la et examinez l'herbe en dessous. Vous verrez que l'herbe paraît jaune et malade. Si vous ne remettez pas le carton, l'herbe « guérira » lentement.

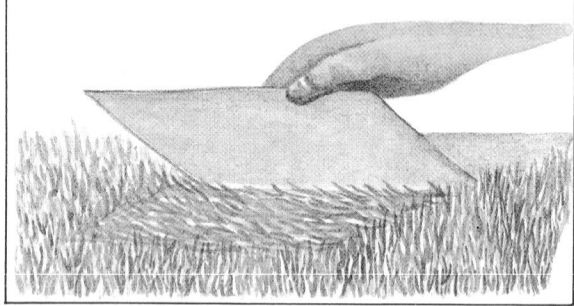

L'herbe pousse plus vite dans la serre.

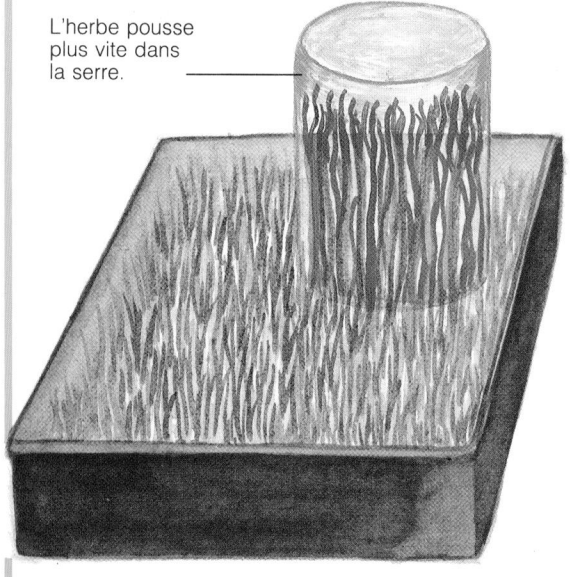

SALUER LA LUMIÈRE

Les végétaux poussent vers la lumière et tentent de s'en procurer le plus possible. Si la lumière est autour d'eux, ils poussent droits. Si la lumière ne vient que d'un côté, ils se pencheront vers la source de lumière. Plantez des graines pour le voir. Semez des graines de moutarde ou de cresson dans un peu de terre sur deux soucoupes. Trouvez une petite boîte avec un couvercle et découpez un trou dans un côté. Posez une soucoupe dans la boîte et l'autre sur le couvercle. Attendez une semaine. Comment poussent les graines ?

Ajoutez de l'eau si le sol devient sec.

LES SERRES

Une serre procure une atmosphère chaude pour la croissance des plantes. La lumière et la chaleur du Soleil traversent le verre et réchauffent l'intérieur. La chaleur ne peut s'évacuer et l'air intérieur reste plus chaud que l'air extérieur. Placez un bocal en verre sur un carré d'herbe ou encore sur des graines semées dans un plateau. Dans votre serre, les plantes pousseront plus vite.

Les yeux des chats semblent rougeoyer dans la nuit car ils ont une couche réfléchissante de plus à l'arrière de leurs yeux (derrière la rétine). Dans la nuit, même si très peu de lumière entre dans l'œil du chat, elle est réfléchie à nouveau sur la rétine. Cela suffit pour donner une image claire. Beaucoup de mammifères ont cette couche spéciale à l'arrière de leurs yeux.

Certains animaux peuvent produire de la lumière. Les lucioles attirent leurs semblables avec des éclairs de lumière. Différents types de signaux avec plusieurs types d'éclairs aideront chaque individu à reconnaître ceux de son espèce.

Certains animaux utilisent la couleur et la lumière pour se cacher de leurs ennemis : c'est le *camouflage*. Le grillon de brousse ci-dessus ressemble par exemple à une feuille. Les rayures sur le corps du tigre l'aident à masquer sa silhouette et le rendent difficile à voir dans de hautes herbes. Cela l'aide à ne pas être détecté pour approcher les animaux qu'il chasse.

LA LUMIÈRE SOLAIRE

La lumière solaire contient deux types de rayons que nous ne pouvons pas voir : les rayons ultraviolets et infrarouges. Les *rayons ultraviolets* provoquent un changement de couleur de la peau, qui devient plus sombre. La peau bronze pour éviter que les rayons ultraviolets ne la traversent. Les crèmes solaires contiennent des substances qui neutralisent l'excès des rayons ultraviolets sur la peau. La chaleur du soleil provient des *rayons infrarouges :* ils peuvent brûler la peau s'ils sont trop forts.

LA CHALEUR DU SOLEIL

Le Soleil réchauffe toute chose sur Terre. La terre se réchauffe plus vite que la mer, mais se refroidit aussi plus vite. Vous avez peut-être remarqué que la mer est plus chaude que la terre en marchant pieds nus le soir sur une plage.

1 Remplissez l'un des récipients avec de l'eau et l'autre de terre sèche ou de terreau.

2 Placez un thermomètre dans chaque récipient et mettez-les dans un endroit ensoleillé. Notez la température dans chaque récipient.

3 Couvrez les récipients de tissu noir et laissez-les deux heures au soleil.
Notez la température toutes les demi-heures. Quel récipient se réchauffe le plus vite ? Lequel atteint la température la plus élevée ?

4 Maintenant, portez les récipients dans un endroit froid. Quel récipient se refroidit le plus vite ?

Matériel : deux récipients, deux thermomètres. terre sèche, eau, tissu noir.

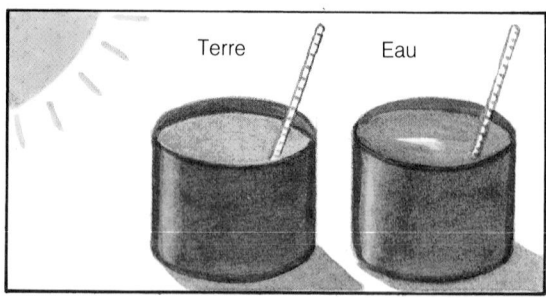

Terre   Eau

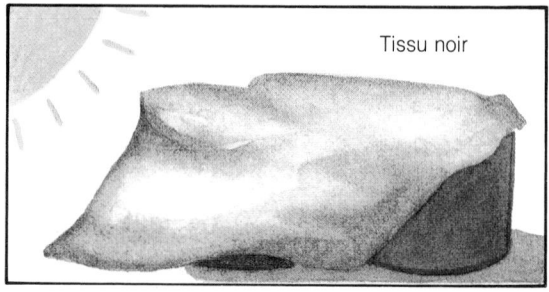

Tissu noir

CUIRE UNE POMME DE TERRE

Vous pouvez utiliser les rayons infrarouges du Soleil pour cuire de la nourriture : les fours à micro-ondes cuisent ainsi les aliments.

1 Tapissez le panier avec l'aluminium : mettez le côté brillant à l'extérieur. Lissez le plus possible l'aluminium et fixez-le dans cette position. (Une doublure sous l'aluminium peut vous aider.)

2 Passez le clou ou la fourchette au centre du panier et fixez-y la pomme de terre.

3 Installez votre « cuisinière » face au Soleil. Pour obtenir les meilleurs résultats, faites-le un jour très ensoleillé vers midi.

4 Suivez le Soleil avec votre « cuisinière », qui doit rester face à lui.

Que se passe-t-il ?
Le papier d'aluminium réfléchit les rayons du Soleil comme un miroir et les concentre sur la pomme de terre. La pomme de terre sera cuite si le Soleil est assez chaud.

Matériel : une petite pomme de terre, papier d'aluminium ; un panier rond (doublé si possible) ou un bol métallique rond, un long clou ou une fourchette, ruban adhésif.

UTILISER LA LUMIÈRE SOLAIRE

Les panneaux solaires sont utilisés sur les toits et les façades des maisons pour recueillir la chaleur du Soleil. Cette chaleur sert à chauffer les pièces et à fournir de l'eau chaude. Le plus souvent possible face au Soleil, les panneaux solaires peuvent parfois être déplacés pour suivre le Soleil. Dans les endroits ensoleillés, les panneaux solaires fournissent presque toute l'énergie d'une maison. Sinon, ils sont utilisés comme appoint à l'énergie électrique. On les retrouve sur les satellites.

LA LUMIÈRE DES LASERS

Les lasers augmentent l'énergie de la lumière jusqu'à produire un étroit faisceau de lumière extraordinairement puissant. Un faisceau laser peut découper un trou dans l'acier ou faire un rond de lumière sur la Lune ! Les lasers de faible puissance sont utilisés par les médecins pour de délicates opérations. Les faisceaux laser « portent » les signaux dans les « platines laser ».

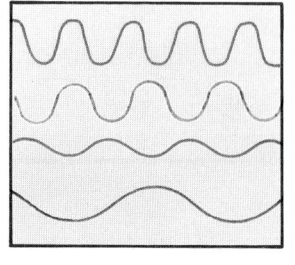

La lumière blanche est un mélange de longueurs d'onde (couleurs) ; les ondes se chevauchent.

UNE LUMIÈRE DIFFÉRENTE

La lumière du Soleil ou d'une ampoule électrique est un mélange de couleurs. Chaque couleur est une lumière de longueur d'onde différente et les ondes se recouvrent en partie. Mais dans un faisceau de lumière laser, la lumière est d'une seule couleur, donc d'une seule longueur d'onde. Les ondes y sont « en phase ». Un laser dirige un étroit faisceau de lumière dans une seule direction et concentre la lumière.

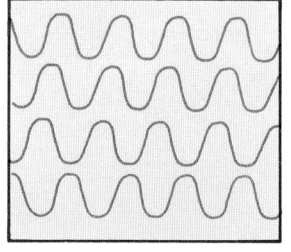

Une seule longueur d'onde pour une couleur ; les ondes se chevauchent.

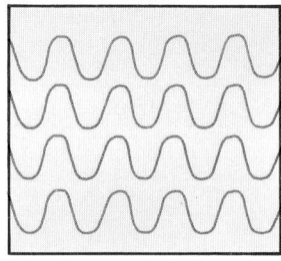

Une longueur d'onde pour la lumière laser ; les ondes sont en phase.

COMMENT FONCTIONNENT LES LASERS

Dans un laser se trouve un cristal (tel qu'un rubis) ou un tube de gaz (gaz carbonique, krypton ou argon). Une source d'énergie (des flashs) fournit l'énergie au cristal ou au gaz. Lorsqu'elle est stockée, elle est renvoyée sous forme d'un faisceau laser intense. Le schéma ci-dessous montre un laser à cristal de rubis. Ce fut le premier type de laser à être produit industriellement.

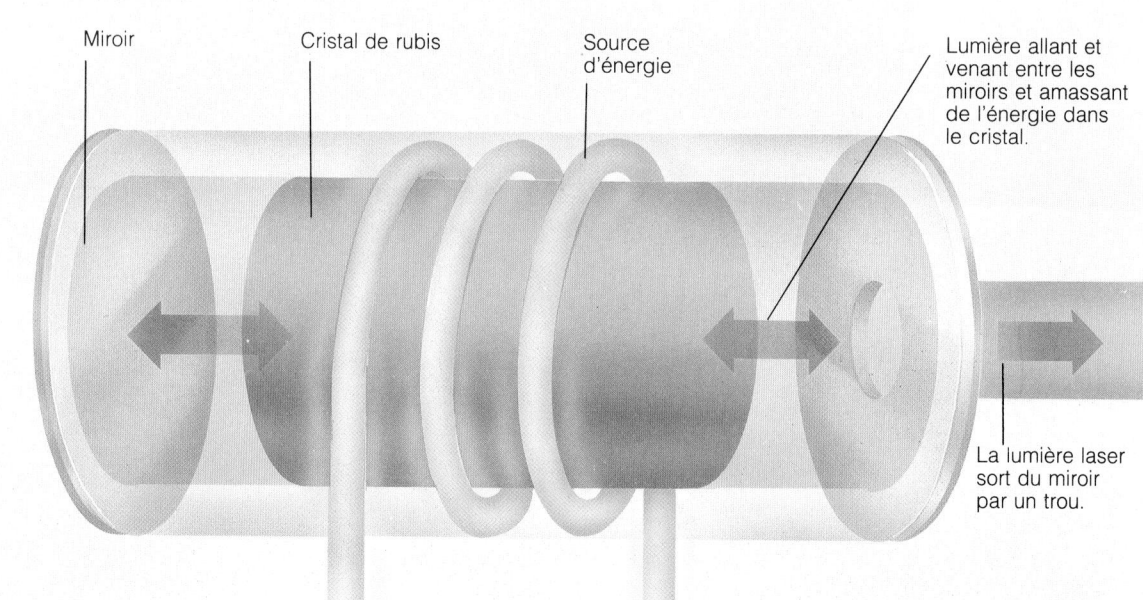

Miroir

Cristal de rubis

Source d'énergie

Lumière allant et venant entre les miroirs et amassant de l'énergie dans le cristal.

La lumière laser sort du miroir par un trou.

▲ Le faisceau laser ne se disperse pas comme la lumière blanche et peut être utilisé pour des opérations précises de perçage. Ce laser perce un trou dans l'aluminium.

◀ Les lasers peuvent être utilisés pour réaliser des images en trois dimensions, des hologrammes.

INDEX

Illustrations : Kuo Kang Chen et P. Bull.
Autres illustrations : M. Saunders (J. Burgess) p. 8-11, 26-33, 38 ; C. Constable p. 34-37 ; Crocker p. 19, 25 (noir et blanc).
Couverture : The Pinpoint Design Company.

CRÉDITS PHOTOGRAPHIQUES : 4 haut droite, ZEFA ; 8 haut droite, N. Cookson ; 11 bas, J. Allan Cash ; 13 haut, ZEFA ; 14 haut, Science Museum, Londres ; 17 milieu, C. Zeiss Jena Ltd ; 28 haut droite, R.O.S.P.A. ; 31 haut, ZEFA ; 35 haut, Nature Photographers, bas, M. Chinery ; 36 haut droite, ZEFA ; 39 haut, Photri, bas, WHO Group.

Édition française © Fernand Nathan éditeur, Paris, 1987.
© Grisewood and Dempsey Ltd 1987. Tous droits réservés.
N° d'éditeur : X 41362. ISBN : 2 09-268 146-X.
Imprimé en Chine.